ESTUDANDO O EVANGELHO

MARTINS PERALVA

ESTUDANDO O EVANGELHO

*

À LUZ DO ESPIRITISMO

Copyright © 1961 *by*
FEDERAÇÃO ESPÍRITA BRASILEIRA – FEB

11ª edição – Impressão pequenas tiragens – 4/2025

ISBN 978-85-7328-624-3

Todos os direitos reservados. Nenhuma parte desta publicação pode ser reproduzida, armazenada ou transmitida, total ou parcialmente, por quaisquer métodos ou processos, sem autorização do detentor do *copyright*.

FEDERAÇÃO ESPÍRITA BRASILEIRA – FEB
SGAN 603 – Conjunto F – Avenida L2 Norte
70830-106 – Brasília (DF) – Brasil
www.febeditora.com.br
editorial@febnet.org.br
+55 61 2101 6161

Pedidos de livros à FEB
Comercial
Tel.: (61) 2101 6161 – comercial@febnet.org.br

Adquirindo esta obra, você está colaborando com as ações de assistência e promoção social da FEB e com o Movimento Espírita na divulgação do Evangelho de Jesus à luz do Espiritismo.

Dados Internacionais de Catalogação na Publicação (CIP)
(Federação Espírita Brasileira – Biblioteca de Obras Raras)

P427e   Peralva, Martins, 1918–2007

         Estudando o Evangelho: à luz do Espiritismo / Martins Peralva. – 11. ed. – Impressão pequenas tiragens – Brasília: FEB, 2025.

         282 p.; 21 cm – (Coleção Martins Peralva)

         ISBN 978-85-7328-624-3

         1. Jesus Cristo – Interpretações espíritas. 2. Bíblia e espiritismo. 3. Espiritismo. I. Federação Espírita Brasileira. II. Título. III. Coleção.

CDD 133.9
CDU 133.7
CDE 20.03.00

Sumário

	Estudemos o Evangelho	11
	Introdução	13
1	Na pregação	19
2	No esforço evolutivo	25
3	Renovação	29
4	O filho do homem	33
5	O cristão e o mundo	39
6	A mulher e o lar (I)	43
7	A mulher e o lar (II)	47
8	A primeira escola	51
9	Reencarnação e Espiritismo	55
10	Contentar-se	61
11	Reencarnação e Evangelho	65
12	Convivência	69
13	Reencarnação e família	73
14	Advertência	77
15	Reencarnação e reajuste	81
16	Riqueza	85

17	Reencarnação e resgate	89
18	Pobreza	93
19	Reencarnação e cultura	99
20	Perdão	105
21	Reencarnação e progresso	111
22	Vigilância	115
23	Jesus e Deus (I)	121
24	Jesus e Deus (II)	125
25	Jesus e Deus (III)	129
26	Reconciliação	133
27	O Cristo vitorioso	137
28	Ante o futuro	143
29	Mocidade e evolução	147
30	Livre-arbítrio	151
31	Mocidade e Evangelho	155
32	A escolha é livre	159
33	Mocidade e trabalho	163
34	Razão e fé	167
35	Mocidade e ambiente	173
36	Eclipse, não	177
37	Mocidade e renúncia	183
38	A força do exemplo	187
39	Guardar	191
40	Cristo e Lázaro (I)	195
41	Cristo e Lázaro (II)	199
42	Cristo e Lázaro (III)	203
43	Cristo e Lázaro (IV)	207
44	Discernimento	211

45	Estudo e trabalho	215
46	Libertação	219
47	Liberdade cristã (I)	223
48	Liberdade cristã (II)	227
49	Liberdade cristã (III)	231
50	Inferno	235
51	Ovelha perdida	239
52	Céu	243
53	Tesouro oculto	247
54	Inovações	251
55	Jesus em Betânia (I)	257
56	Jesus em Betânia (II)	261
57	Jesus em Betânia (III)	265
58	A grande esperança	269
	Conclusão	273

"Mas eu vos digo a verdade: Convém a vós outros que eu vá, porque, se eu não for, o Consolador não virá para vós; se, porém, eu for, eu o enviarei.

Tenho ainda muito que vos dizer; mas vós não o podeis suportar agora; quando vier, porém, o Espírito da Verdade, ele vos guiará a toda a verdade."

Jesus

"As palavras de Jesus não passarão, porque serão verdadeiras em todos os tempos. Será eterno o seu código moral, porque consagra as condições do bem que conduz o homem ao seu destino eterno."

Allan Kardec

"A passagem de Jesus pela Terra, os seus ensinamentos e exemplos deixaram traços indeléveis, e a sua influência se estenderá pelos séculos vindouros. Ainda hoje Ele preside aos destinos do globo em que viveu, amou, sofreu."

Léon Denis

"Irradiemos os recursos do amor, através de quantos nos cruzam a senda, para que a nossa atitude se converta em testemunho do Cristo, distribuindo com os outros consolação e esperança, serenidade e fé."

Bezerra de Menezes

"O Espiritismo, sem Evangelho, pode alcançar as melhores expressões de nobreza, mas não passará de atividade destinada a modificar-se ou desaparecer, como todos os elementos transitórios do mundo."

Emmanuel

"Para cooperar com o Cristo, é imprescindível sintonizar a estação de nossa vida com o seu Evangelho Redentor."

André Luiz

Estudemos o Evangelho

Aprimoramento do raciocínio, na Terra, é base da evolução de que os povos se glorificam.

A escola, definida como sendo a cultura do cérebro, desde o alfabeto à especialização acadêmica, é o cérebro da cultura. Especulações religiosas, realizações científicas, preceitos filosóficos e experiências artísticas devem-lhe os fundamentos.

Tudo o que brilha nas construções da inteligência é fruto do estudo.

Colombo foi o descobridor da América; entretanto, não alcançou o próprio destino sem os apontamentos de Perestrello.

Newton enunciou os conhecimentos da atração universal, mas inspirou-se nos princípios de Kepler.

Helen Keller, cuja alma de escola angariou o respeito da humanidade, não venceu as sombras que lhe envolviam o campo dos sentidos sem o concurso da professora que a seguiu, passo a passo.

Assim também, no burilamento da alma.

É indispensável conhecer o bem, para que os ensinamentos do bem nos aperfeiçoem a vida íntima.

Nós, os espíritas vinculados com Allan Kardec ao Cristianismo puro, não podemos prescindir do contato com o divino Mestre, através das lições com que nos dirige a renovação para as esferas superiores.

Estudemos, pois, o Evangelho.

É o apelo que formulamos no limiar deste livro que consubstancia o valioso esforço do companheiro que o produziu nas lavras luminosas da inspiração.

E qual aconteceu em nossas primeiras páginas de comentários simples da Boa Nova,[1] aqui repetimos, com o apóstolo Pedro,[2] que "nenhuma palavra da Escritura é de interpretação particular".

EMMANUEL
(Página recebida pelo médium
Francisco Cândido Xavier.)

---

[1] *Caminho, verdade e vida.*
[2] II PEDRO, 1:20.

Introdução

O objetivo que nos levou em 1957 — Ano do Centenário — à elaboração do *Estudando a mediunidade*, que mereceu confortadora acolhida dos nossos estimados confrades, inspira-nos também, agora, neste novo trabalho: *Estudando o evangelho*: à luz do Espiritismo.

Esse objetivo é o de servir, com sinceridade e amor, à causa do Evangelho e do Espiritismo.

Cristianismo e Espiritismo nos têm enriquecido e felicitado os dias da existência física, ensinando-nos o respeito a Deus e aos nossos semelhantes, bem assim induzindo-nos a amá-los, o que nos põe na condição de pessoa altamente devedora, tanto a um, quanto ao outro.

Sentimos a necessidade de esclarecer aos companheiros que, porventura, vierem a ler o *Estudando o evangelho*, que lhes não compareceremos à presença na leviana atitude de quem se julga em condições de explanar, exclusivamente para outrem, as redentoras belezas da Boa Nova do Reino.

Comparecemos, sim, envergando, conscientemente, o esfarrapado uniforme de nossa indigência espiritual — muito maior, infinitamente maior do que as nossas limitações materiais.

O mais correto, em verdade, seria afirmarmos que os 58 capítulos que constituem o livro, elaborados, alguns deles, sob a cariciosa envolvência de almas delicadíssimas, destinam-se, especial e primordialmente, a nós próprios.

É imprescindível ressaltar que, se nos falece o direito de escrever sobre as verdades cristãs pensando, apenas, nos outros, o que traduziria imensa vaidade e ridícula insensatez, assiste-nos, inegavelmente, o universal direito de estudá-las e de comentá-las, segundo o nosso entendimento. De meditar e escrever em torno delas, visando a convertê-las, sobretudo, em alimento para a nossa alma ansiosa por evoluir.

Conforme se deduz do título — *Estudando o evangelho: à luz do Espiritismo* —, os temas por nós apreciados trazem, como não podia deixar de ser, a marca de nossa abençoada Doutrina Espírita.

Doutrina de esclarecimento — que tem sido luz em nosso caminho.

Doutrina de redenção — que nos tem amparado a fragilidade.

Doutrina de renovação — que nos tem apontado rumos mais certos, reajustando-nos, convenientemente.

Em cada frase, em cada conceito, pobremente expostos, reconhecemos, encontrar-se-á, assim o desejamos, aquela substância doutrinária que torna mais grandiosa a personalidade augusta de nosso Senhor Jesus Cristo.

Que torna mais claros os seus ensinos.

Mais compreensivas as suas palavras.

Mais límpidas as suas lições.

Evidentemente, em sã consciência ninguém hoje pode contestar, o pensamento evangélico permaneceu oculto durante longos séculos à humanidade inteira.

Na melhor das hipóteses, esteve ele sensivelmente adulterado desde os inesquecíveis dias da "Casa do Caminho", nos arredores de Jerusalém, quando os primeiros e legítimos herdeiros do Evangelho o transformavam em ação e trabalho.

Transubstanciavam-no em ajuda e socorro, a favor dos filhos do sofrimento.

Era necessário, portanto, ressuscitá-lo.

Restabelecer-lhe o vigor e a beleza.

Restaurar-lhe a grandeza divina, para que o Cristo não continuasse na limitada condição de chefe de religiões, mas sim como bênção de luz, sublime e universal, na experiência evolutiva de cada ser.

A missão, por assim dizer ressurrecional, coube ao Espiritismo.

E ele a vem realizando, com dignidade e nobreza, com eficiência e galhardia, sem trair o mandato honroso que o próprio Cristo lhe outorgou, na promessa do Consolador que viria.

A cortina que escondia o fulgor do Evangelho, esmaecido havia dezessete séculos, começou a ser afastada logo após os memoráveis dias da Codificação, quando Allan Kardec, o excelso missionário, estabeleceu, na França de Flammarion e Victor Hugo, os fundamentos da Doutrina, os alicerces, científicos e filosóficos, que nenhum temporal haveria de abalar, jamais, porque construídos sobre a rocha da lógica e com a argamassa do bom senso.

Encarnados e desencarnados, notadamente estes últimos, harmonizaram esforços neste sentido, em magníficos e isócronos movimentos divulgadores.

Médiuns abnegados surgiram em toda parte, fertilizando a terra, canalizando para o mundo, vitalizada e sublime, a palavra do Mestre de Nazaré.

O Filho de Maria voltava ao seio da humanidade.

Retornava ao convívio dos homens, para lhes recordar as lições de simplicidade e amor.

Reencontrava as ovelhas tresmalhadas, que se haviam distanciado, invigilantes, do aprisco.

As portas dos céus se abriram, amplas e generosas, a fim de que, por elas, jorrassem mensagens de luz que iriam concitar as criaturas ao esclarecimento superior, à própria edificação íntima.

Renasceram, no coração dos homens, esperanças que se afiguravam mortas.

Nos recantos mais escondidos da alma humana as sementes da fraternidade recuperaram a primitiva seiva, romperam a terra agreste, acolheram o beijo do Sol e a carícia das chuvas, transformaram-se em árvores frutescentes.

Introdução

Refloriram, numa primavera de luz e cores, os carvalhos da indulgência, que o obscurantismo houvera estiolado.

Cristalina e pura, fluiu dos mananciais do Infinito, das nascentes cósmicas, a água que sacia por toda a eternidade.

A mesma linfa que o Mestre ofertara à mulher samaritana, quando descansava à borda do poço de Jacó, no suave crepúsculo de Sicar: "Deus é Espírito; e importa que os seus adoradores o adorem em Espírito e Verdade".

Secundado o esforço da Espiritualidade maior, ou, certamente, executando-lhe o programa, inúmeros companheiros, ainda envergando a libré física, grafaram, em livros e artigos, valiosos conceitos, notáveis interpretações que constituem, ainda hoje, bálsamo para as horas de provação, claridade para os momentos de sombra.

Bezerra de Menezes, Bittencourt Sampaio, Sayão, Viana de Carvalho, Leopoldo Cirne, M. Quintão, Cairbar Schutel e tantos outros, legaram à literatura evangélica do Espiritismo o fruto de seus fecundos labores, na esfera da pregação escrita e falada.

A vida desses obreiros, que têm sido inspiração e estímulo para os atuais servidores do abençoado Santuário de Ismael; o devotamento de suas almas; a exuberância de suas virtudes e a firmeza de suas convicções permanecem inolvidáveis na memória da família espírita brasileira, por mensagem viva que o tempo, as incompreensões e os sucessos não conseguiram apagar.

Não há tempo, melhor ou pior, para a divulgação do Evangelho. Para que as suas luzes entrem por cima dos telhados, a fim de aquecerem os lares do mundo inteiro.

Não há tempo para que as suas clarinadas repercutam nos montes e nos vales, nas praias e nos sítios distantes, despertando os homens para os embates da renovação e do progresso com o Senhor.

Na atualidade, todavia, quando o nosso orbe querido vive as tormentosas experiências que precedem, via de regra, as grandes transições, o enaltecimento da figura do Cristo, a divulgação do seu Evangelho e a prática dos seus ensinos representam imperativo inadiável.

O Mestre continua sendo a maior — a mais sublime e eterna realidade que o mundo conheceu até os nossos dias.

A sua palavra permanece.

Educando e salvando.

Confortando e soerguendo.

Renovando e iluminando para a imortalidade gloriosa.

1
Na pregação

"Onde anunciavam o Evangelho."

Nos instantes de vida interior, permitidos pelas lutas que se renovam dia a dia, volve o homem o olhar para o futuro, cheio de esperança, na certeza de que a Terra conhecerá dias melhores, quando vier a se inundar das sublimes vibrações da Fraternidade Legítima.

O homem crê nesse futuro.

Nessa era de compreensão e paz entre as criaturas.

Por isso, luta e sofre, confia e espera...

Luta e sofre, confia e espera o advento de uma fase áurea, rica de espiritualidade, com inteira ausência dos sentimentos inferiores que emolduram, indiscutivelmente, a fisionomia do mundo atual.

Ausência do ódio — que provoca a guerra.

Ausência do orgulho — que favorece a prepotência.

Ausência do ciúme — que acende o fogo do desespero.

Ausência da inveja — que estimula a discórdia.

Ausência da ambição — que abre caminho à loucura.

Esse mundo melhor não pertencerá, exclusivamente, aos nossos filhos e netos, como asseguram os que creem, apenas, na unicidade das existências.

Pertencerá a nós mesmos, às nossas individualidades espirituais, empenhadas, hoje, na construção desse mundo feliz.

Desse mundo onde o mal não terá acesso, onde não haverá lugar para a sombra, porque o bem e a luz lhe serão magnífica constante.

Pela reencarnação estaremos amanhã, de novo, no cenário terrestre, aqui ou em qualquer parte, utilizando outros corpos, prosseguindo, destarte, experiências evolutivas iniciadas em remotos milênios.

Amanhã, na ceifa, colheremos o fruto do nosso plantio de hoje.

Assim como participáramos, ontem, de redentoras lutas, que se ocultaram, momentaneamente esquecidas, na poeira dos milênios, na atualidade estamos, igualmente, contribuindo para a edificação do porvir.

As conquistas de ordem material prosseguem, deslumbrantes, em ritmo acelerado.

Temos a certeza de que, pelo esforço da Ciência e pela sublimidade da Arte, desfrutaremos, mais tarde, o bem-estar e o conforto, com absoluta exclusão do egoísmo.

No entanto, na atualidade, uma série de indagações invadem o nosso Espírito.

De que valem imponentes cidades e pontes maravilhosas, interligando continentes; naves assombrosas, cruzando o espaço em todas as direções, e soberbos empreendimentos de Medicina, se, apesar de todo esse arrojo e toda essa audácia do pensamento humano, continuamos, em maioria, deficientes de espiritualidade?

Permanecemos, em verdade, mendigos de amor.
Indigentes de bondade.
Maltrapilhos de compreensão.
Estátuas vivas do egoísmo.

*

Com nosso Senhor Jesus Cristo teve início, na Terra, a preparação espiritual da humanidade para os jubilosos dias do futuro.

Depois dele, como legatários de valioso patrimônio, espalharam-se os discípulos por toda parte, visitando cidades e aldeias.

Plenos de alegria, "anunciavam o Evangelho"...

Eram eles, já àquele tempo, os precursores, os pioneiros da civilização do terceiro milênio, eis que o Evangelho é, insofismavelmente, a base, o alicerce, o fundamento, a pedra angular dessa "Civilização-Luz" dessa "Civilização-Amor" que o mundo conhecerá.

Não bastou, todavia, pregassem a Boa Nova da imortalidade durante o Cristianismo nascente.

Nem que derramassem o sangue generoso nos circos romanos, os corpos dilacerados por leões africanos, em holocausto ao sublime ideal do Cristianismo.

Ideal sublime, contagiante, irresistível, envolvente...

Com o tempo, cessaram os martírios físicos, as sevícias, o ultraje.

Os circos converteram-se em pó, os tiranos foram esquecidos.

O serviço de expansão evangélica prossegue, contudo.

E prosseguirá, séculos afora, edificando as bases do mundo diferente, os alicerces do mundo melhor que desejamos, pelo qual lutamos, no qual cremos, mas que não está muito próximo, como alguns supõem.

Sem o conhecimento, e, principalmente, sem a assimilação evangélica, tão cedo não conhecerá o mundo dias melhores.

A engenharia continuará levantando os mais belos monumentos.

Multiplicar-se-ão as maravilhas do mundo.

Sublimar-se-ão as manifestações do pensamento e da cultura acadêmica.

Mas, se o espírito do Cristianismo não for, realmente, sentido e aplicado, o mundo de amanhã — o decantado mundo do terceiro milênio — assemelhar-se-á a imensa necrópole, com soberbos e glaciais sarcófagos.

Insensíveis, sem calor, sem vida...

Sepultura triste — guardando as cinzas da presunção e da vaidade.

Urge, pois, seja o Evangelho intensamente anunciado, a fim de que o seu divino perfume aromatize as florestas, os campos, os mares profundos, os céus longínquos.

Não preconizamos, obviamente, o simples anúncio, oral ou escrito.

O anúncio da tribuna, do jornal, do livro, apenas.

Referimo-nos, sobretudo, ao anúncio vivido, exemplificado, capaz de contagiar, de converter, de transformar quantos lhe sintam a influência dinâmica, renovadora.

Na passagem em estudo, ultrajados e incompreendidos, os pegureiros do Cristianismo fugiam para outras cidades, "onde anunciavam o Evangelho" com o mesmo denodo, o mesmo entusiasmo, o mesmo idealismo, a mesma perseverança.

Invencíveis, deixavam em suas pegadas luminosos rastilhos.

A civilização do terceiro milênio ficará retardada se cruzarmos os braços, se não espiritualizarmos as aquisições humanas.

Será um agradável sonho, se não aliarmos a todas as conquistas da Ciência o mais belo aspecto da vida, que é o espiritual.

O mais notável monumento pode converter-se, num instante, em escombro e cinza.

Mas o coração que, pela força do Evangelho, se ergue para o Amor — é luz dentro da Eternidade, que nunca mais se apagará...

2
No esforço evolutivo

"Ide e pregai o Evangelho."

No maravilhoso drama da evolução universal, é o homem, na Terra e no Espaço, valioso colaborador de Deus.

Se os Espíritos superiores operam, no plano extrafísico, visando ao aperfeiçoamento dos encarnados, estes, por seu turno, empregam esforços no mesmo sentido, sintonizando-se, integrando-se na sublime tarefa do esclarecimento espiritual.

Não existem duas vidas distintas, separadas, independentes.

Há, pelo contrário, *uma só vida,* que se caracteriza por duas etapas.

A primeira, no mundo espírita ou espiritual, que sobrevive a tudo, que preexiste ao nascimento na Terra, consoante esclarece a Doutrina.

A segunda, após o nascimento, no mundo corpóreo, no chamado mundo material ou físico.

Essas duas etapas são, no entanto, correlatas.

Reagem uma sobre a outra incessantemente — informam os instrutores espirituais, esclarece a Codificação.

Quanto maior o número de almas nobres que venham a reencarnar na Terra, mais depressa ascenderá esta no concerto dos mundos que, em fabulosos turbilhões, rolam pelo espaço imensurável.

De igual maneira, quanto maior o número de almas edificadas que retornarem da Terra, mais se purificará o ambiente espiritual nas regiões próximas à crosta.

Como se vê, a posição dos encarnados influi na vida do além-túmulo, quanto o comportamento dos Espíritos influi na paisagem física do globo.

Urge, pois, haja simultaneidade no trabalho — neste sublime intercâmbio entre o mundo espírita e o mundo corpóreo.

A humanidade terrena não pode nem deve ensarilhar armas no afã de, combatendo as próprias deficiências, corrigindo as próprias imperfeições, preparar fortes contingentes espirituais que, mais tarde, voltarão infalivelmente ao mundo, a fim de ao mundo restituírem os valores sublimados e eternos aqui recebidos.

Quando Jesus, observando as lutas do proscênio terrestre, aconselhou o *"ide e pregai o Evangelho"*, não pretendeu, de forma alguma, fossem os discípulos, tão somente, levar conforto aos sofredores, consolação aos aflitos, bom ânimo aos desalentados do caminho.

Desejou, evidentemente, que, aldeia por aldeia, cidade por cidade, preparassem almas para o reino que oportunamente haveria de construir no coração da humanidade inteira.

Jesus veio, principalmente, educar.

E o objetivo da pregação educativa do Mestre estende-se, tanto hoje como ontem, além fronteiras do nosso parco entendimento.

A palavra do Senhor é, simultaneamente, pão e luz na estrada.

Na Terra e no Espaço.

"*Eu sou o pão da vida.*" (João, 6:48.)

"*Eu sou a luz do mundo.*" (João, 8:12.)

Pão que alimenta, fortalece, encoraja.

Luz que esclarece, orienta, dá responsabilidade.

Comendo desse pão subjetivo, nutre-se o homem em definitivo. Não terá mais fome.

Banhando-se nessa luz, torna-se consciente do seu glorioso destino, artífice de sua própria evolução.

Entende que lhe cabe, na obra geral, coletiva, de aperfeiçoamento dos seres, uma contribuição que, por diminuta, nem por isso é menos valiosa.

Há, nessa colaboração, um mérito indiscutível: — o da boa vontade.

Aquele que sente, dentro de si, uma réstia da claridade divina, pode e deve influenciar no sentido de que todos coparticipem do seu programa de aprimoramento.

Esta influência nem sempre se verificará pelo maior ou menor número de livros que escreve, ou de conferências que profere, mas pela efetiva exemplificação no Bem.

Na moral e no saber.

Se o contingente maior de encarnados se constitui, inegavelmente, de seres retardados, infelizes, o campo de atividades do tarefeiro evangélico é muito grande.

A extensão desse campo desafia-lhe o esforço e a perseverança, o dinamismo e a resistência.

Inteligências menos desenvolvidas vagueiam nas sombras da Terra e do Espaço, reclamando orientação caridosa.

Nos desvãos do crime e da loucura jazem desventurados companheiros de jornada, aguardando simplesmente uma frase alentadora, um conceito renovador.

A palavra do Mestre continua ressoando, ressoando.

Imperativa e fraterna, por mensagem de Esperança.

"*Ide e pregai o Evangelho.*"

3
RENOVAÇÃO

"Brilhe a vossa luz."

O supremo objetivo do homem, na Terra, é o da sua própria renovação.

Aprender, refletir e melhorar-se, pelo trabalho que dignifica — eis a nossa finalidade, o sentido divino de nossa presença no mundo.

Descendo o Cristo das esferas de luz da Espiritualidade superior à Terra, teve por escopo orientar a humanidade na direção do aperfeiçoamento.

"Brilhe a vossa luz" — eis a palavra de ordem, enérgica e suave, de Jesus, a quantos lhe herdaram o patrimônio evangélico, trazido ao mundo ao preço do seu próprio sacrifício.

A infinita ternura de sua angelical alma sugere-nos, incisiva e amorosamente, o esforço benéfico: "Brilhe a vossa luz".

O interesse do Senhor é o de que os seus discípulos, de ontem, de hoje e de qualquer tempo, sejam enobrecidos por meio de uma existência moralizada, esclarecida, fraterna.

O Evangelho aí está, como presente dos céus, para que o ser humano se replete com as suas bênçãos, se inunde de suas luzes, se revigore com as suas energias, se enriqueça com os seus ensinos eternos.

O Espiritismo, em particular, como revivescência do Cristianismo, também aí está, ofertando-nos os oceânicos tesouros da Codificação.

Pode-se perguntar: de que mais precisa o homem, para engrandecer-se, pela cultura e pelo sentimento, se lhe não faltam os elementos de renovação, plena, integral, positiva?!...

Que falta ao homem moderno, usufrutuário de tantas bênçãos, para que "brilhe a sua luz"?!...

A renovação do homem, sob o ponto de vista moral, intelectual e espiritual, é difícil, sem dúvida, mas é francamente realizável.

É indispensável, tão somente, disponha-se ele ao esforço transformativo, com a consequente utilização desses recursos, desses meios, desses elementos que o Evangelho e o Espiritismo lhe fornecem exuberantemente, farta e abundantemente, sem a exigência de qualquer outro preço a não ser o preço de uma coisa bem simples: a boa vontade.

A disposição de automelhoria.

O homem, para renovar-se, tem que estabelecer um programa tríplice, como ponto de partida para a sua realização íntima, para que "brilhe a sua luz", baseado no estudo, na meditação e no trabalho.

ESTUDO: — O estudo se obtém por meio da leitura do Evangelho, dos livros da Doutrina Espírita e de quaisquer obras educativas, religiosas ou filosóficas, que o levem a projetar a mente na direção dos ideais superiores.

O estudo deve ser meditado, assimilado e posto em prática, a fim de que se transforme em frutos de renovação efetiva, positiva e consciente: *"Conhecereis a Verdade e a Verdade vos fará livres".*

MEDITAÇÃO: — A meditação é o ato pelo qual se volve o homem para dentro de si mesmo, onde encontrará a Deus, no esplendor de sua glória, na plenitude do seu poder, na ilimitada expansão do seu amor: *"O reino de Deus está dentro de vós".*

Por meio da prece, na meditação, obterá o homem a fé de que necessita para a superação de suas fraquezas e a esperança que lhe estimulará o bom ânimo, na arrancada penosa, bem como o conforto e o bem-estar que lhe assegurarão, nos momentos difíceis, o equilíbrio interior.

Na meditação e na prece haurirá o homem a sua própria tonificação, o seu próprio fortalecimento moral e a inspiração para o bem.

TRABALHO: — O trabalho, em tese, para o ser em processo de evolução, configura-se sob três aspectos principais: material, espiritual, moral.

Através do trabalho material, propriamente dito, dignifica-se o homem no cumprimento dos deveres para consigo mesmo, para com a família que Deus lhe confiou, para com a sociedade de que participa.

Pelo trabalho espiritual, exerce a fraternidade com o próximo e aperfeiçoa-se no conhecimento transcendente da alma imortal.

No campo da atividade moral, lutará, simultaneamente, por adquirir qualidades elevadas, ou, se for o caso, por sublimar aquelas com que já se sente aquinhoado.

Em resumo: aquisição, cultivo e ampliação de qualidades superiores que o distanciem, em definitivo, da animalidade em que jaz há milênios de milênios: "É na vossa perseverança que possuireis as vossas almas".

*

A palavra do Senhor — "BRILHE A VOSSA LUZ" — impele-nos, na atualidade, à realização deste sublime programa:

Renovação moral, cultural, espiritual.

A estrada é difícil, o caminho é longo, repleto de espinhos e pedras, de obstáculos e limitações, porém a meta é perfeitamente alcançável.

Uma coisa, apenas, é indispensável: um pouco de boa vontade.

Boa vontade construtiva, eficiente, positiva.

O resto virá, no curso da longa viagem...

4
O FILHO DO HOMEM

"...não tinha onde reclinar a cabeça."

Nasceu numa manjedoura.

Não tinha onde descansar a cabeça.

Morreu numa cruz, escarnecido e humilhado.

Eis a história, comovente e bela, sublime e incompreendida, do Cristo de Deus...

Daquele que *"estava no mundo, o mundo foi feito por intermédio dele, mas o mundo não o conheceu"*. (João, 1:10.)

A lição é, inegavelmente, profunda.

Do estábulo ao Calvário, sua vida foi um cântico de misericórdia e amor, simplicidade e compreensão, indulgência e grandeza.

Na manjedoura — nasceu entre pacíficos animais e singelos pastores.

No mundo — viveu no meio de mulheres, crianças e homens infelizes.

Na cruz — morreu entre ladrões vulgares, escrevendo, contudo, no Gólgota, a mais deslumbrante epopeia de luz que a humanidade já presenciou.

Muitos homens nasceram em berços de ouro, mas encarnaram existências nulificadas.

Passaram pelo mundo cercados de honrarias, ostentando títulos e galardões pomposos, disputando lauréis e considerações, mas tiveram seus nomes esquecidos tão logo desceram ao túmulo.

Tiveram os seus corpos guardados em caixões riquíssimos, mas, apesar das pompas funéreas, nada fizeram para que o mundo lhes perpetuasse o nome, a obra, a memória.

O homem não vale pela casa nem pelo berço onde nasceu.

Não importam as considerações de que foi alvo, espontâneas ou provocadas.

Não tem valor intrínseco a imponência do mausoléu que lhe acolhe os despojos carnais, no devido tempo.

Não tiveram os pais de Jesus uma tradição de aristocracia genealógica que lhe facilitasse os passos na caminhada pelo mundo e lhe favorecesse o triunfo e a glória, o poder e o mando. Nada que o preservasse do acinte e da crueldade, do achincalhe e do opróbrio da populaça inconsciente, desvairada e perversa.

José, seu pai, carpinteiro anônimo em Nazaré, não desfrutava do prestígio temporal.

De manhã à noite, manejando a enxó e o formão, ganhava, com o suor do rosto, o alimento de cada dia.

Não era de família nobre, segundo a conceituação humana; não conhecia as altas rodas do seu tempo, mas era rico de qualidades superiores, de bens espirituais.

A sua vida e o seu programa eram simples: a igreja, a oficina e o lar humilde, honrado.

Maria, sua mãe, era mulher sem renome social, mas virtuosa e pura, imaculada e santa.

Seu mundo era o lar.

Sua felicidade, o esposo e o filho.

Se o lar era-lhe um santuário, a sinagoga era-lhe um paraíso.

No lar e na sinagoga conversava com Deus, diariamente, em silenciosa e divina comunhão.

Como se vê, não vale o homem pela riqueza do berço em que dormiu o primeiro sono, pela opulência em que viveu, nem pela suntuosidade com que o sepultaram.

Vale o homem — e disso dá exemplo a vida do Senhor — pela valorização que procura ou sabe dar aos minutos, às horas, à existência, enfim.

*

O Mestre não tinha onde descansar a cabeça.

"*As feras*" — asseverava Ele — "*têm os seus covis.*"

"*As aves*" — continuava — "*têm os seus ninhos.*"

"*Mas o Filho do Homem*" — concluía — "*não tem onde reclinar a cabeça.*"

O Cristo de Deus, o salvador do mundo, não tinha onde repousar a augusta cabeça.

O Redentor da humanidade, a Luz de todos os séculos, não conhecia um mínimo de conforto.

Apesar disso, o farol que acendeu no topo do Calvário, quando parecia derrotado e vencido, continua iluminando os eternos caminhos da humanidade planetária.

Os homens, todavia, ludibriados, buscam a fortuna e o poder, na doce ilusão de que o poder e a fortuna podem assegurar, na vida espiritual, a glória que se não extingue.

Quem não busca, avidamente e a qualquer preço, inclusive da própria dignidade, a riqueza e a evidência, é categorizado, no mundo, à conta de insensato, sonhador, idealista.

O mundo não compreende o homem que se limita a obter o indispensável ao seu e ao sustento dos que lhe constituem o instituto familiar.

Assim como Ele veio "para o que era seu" e os seus "não o receberam", a mentalidade humana não pode entender aquele que se não obstina em acumular tesouros que a traça consome, o ladrão rouba e o tempo destrói.

Admirável homem de hoje é o que sabe amealhar fortuna, mesmo que a vida desse homem seja inócua, vazia, egoísta.

O Cristo, evidentemente, não foi um mendigo, mas também não foi um milionário dos bens terrenos.

Os tesouros de Deus estavam no seu coração.

Tesouros que distribuía com abundância, fartamente, prodigamente, na consolação aos desalentados e no esclarecimento aos ignorantes.

O Cristo — "médium de Deus", segundo Kardec e Emmanuel — não tinha onde reclinar a cabeça.

Aquela cabeça que supervisionara, dos celestiais páramos, a formação da Terra.

Utilizando singelas alpercatas, percorria, incansavelmente, as estradas palestinenses, as praias do Tiberíades.

Trajando simplesmente uma túnica desprovida de quaisquer ornamentos que revelassem superfluidade, podia, no entanto, ofertar a homens e mulheres, anciãs e jovens, as moedas da fé e da esperança na Vida imperecível.

Assinalava o valor dos patrimônios espirituais, repetindo, inúmeras vezes: "*A tua fé te salvou*".

Lembrava o perigo dos bens perecíveis, advertindo: "*Não vos afadigueis por possuir ouro, ou prata, ou qualquer outra moeda em vossos bolsos*".

A Judas, o discípulo afanoso, recomendava: "*...a bolsa é pequenina; contudo, permita Deus nunca sucumbas ao seu peso*".

Se desejamos a glória da vida imortal, o que nos compete, sem dúvida, é o cumprimento de todos os deveres que a vida nos sugere, mesmo que, igualmente, não tenhamos onde reclinar a cabeça.

Glória que se obtém com a vivência cristã. Escrevendo, diuturnamente, no livro da Vida, as obrigações que assegurem o nosso e o equilíbrio de quantos evolucionam, como nós, em busca da perfeição com Jesus.

5
O CRISTÃO E O MUNDO

"Não peço que os tires do mundo."

Não se pode conceber, ante as palavras do Senhor na "oração pelos discípulos", tenham os homens de isolar-se a pretexto de melhor servirem a Deus.

É de supor-se, todavia, que aos cenobitas modernos não tivesse ocorrido, ainda, a ideia de examinarem a referência acima, que o evangelista anotou.

Se na atualidade tal conduta surpreende, encontramos uma certa justificativa na conduta dos eremitas do passado, veneráveis e santas figuras que buscavam o insulamento em grutas desertas.

Os anacoretas, cujos nomes são ainda hoje reverenciados, fugiam do mundo, adotavam vida de inteira renúncia com o propósito de despertarem o homem para os problemas da alma, cuja excelsitude, cuja valia já podiam sentir.

Tudo, no entanto, tem o seu tempo, a sua época.

Na atualidade, o isolamento em mosteiros ou cavernas, sem finalidade prática, sem proveito para os semelhantes, expressaria egoísmo, acomodação à boa vida.

Significaria fuga ao trabalho.

Quando alguém foge, hoje, do turbilhão das metrópoles, via de regra é para exercitar a confraternização, para edificar escolas que instruam e eduquem a infância e a juventude, para construir hospitais que acolham enfermos pobres, ou para erguer abrigos que assegurem aos velhos uma existência mais tranquila, no pôr de sol de suas experiências terrenas.

As palavras do Mestre, na chamada "oração sacerdotal", exprimem cautela, revelam prudência.

O pensamento de Jesus — *"Não peço que os tires do mundo, e sim que os guardes do mal"* (*João*, 17:15) — era o de impedir que os discípulos viessem a empanar o fulgor da Boa Nova, o universalismo da Doutrina Cristã, com um possível retraimento das lutas mundanas.

A fuga ao trabalho, aos deveres imediatos, poderia criar um precedente perigoso para as futuras realizações do Evangelho.

Os discípulos, àquela época, tanto quanto nós outros na atualidade, não prescindiam do clima ardoroso das lutas terrestres — porque as lutas corrigem, aperfeiçoam, iluminam.

A oração do Senhor, proferida em voz alta, haveria de causar-lhes duradoura impressão.

Repercutiria, profundamente, nos séculos que se avizinhavam.

Assim é que, na hora da partida, quando se preparava para o retorno às esferas de luz de ignotas regiões, fixou-lhes, em definitivo, o procedimento no mundo, de maneira que, permanecendo eles no mundo, dessem ao mundo testemunhos de luta e trabalho, compreensão e amor.

É por isso que os companheiros do Mestre fundaram a "Casa do Caminho", onde o faminto recebia alimento, onde o esfarrapado encontrava vestuário, onde o doente alcançava amparo.

Ninguém pode dar testemunho de valor espiritual se não viveu provas difíceis, dramas intensos, complicados problemas, se não viajou em águas procelosas.

Ninguém pode dar testemunho de resistência moral se não sentiu o impacto de fortes tentações, sobrepondo-se, no entanto, a todas elas, pela inabalável determinação de vencer, pelo desejo de realizar-se.

Num convento, numa caverna, na solidão, tais oportunidades dificilmente se verificarão.

Viver no mundo — sem aderir ao mundo.

Viver no mundo — sem partilhar-lhe as paixões.

Viver no mundo — sem entregar-se ao mundo.

Viver no mundo — mas livrar-se do mal.

Transitar pela Terra — sem chafurdar-se na lama dos vícios, é prova difícil, porém não impossível.

Pede decisão, esforço, persistência.

Conhecendo o anseio de crescimento espiritual, que era uma constante na vida dos discípulos, porém, identificando-lhes igualmente a fragilidade humana, rogava Jesus ao Pai: *"Não peço que os tires do mundo, e sim que os guardes do mal"*.

No pedido do Mestre nota-se, amorosa, uma exortação à vigilância, para que não viessem eles a sucumbir ante o mal, nas suas diversas manifestações.

O mundo, com seus conflitos e suas tentações, era-lhes, sem dúvida, clima propício às experiências renovadoras.

Fortalecidos, contudo, pelas imortais lições de Jesus, haveriam de se converter, como de fato se converteram, em exemplos vivos e atuantes de amor e trabalho.

O heroísmo dos primeiros cristãos regou a árvore do Cristianismo.

A abnegação e o sacrifício dos homens da "Casa do Caminho", nas adjacências de Jerusalém, adubaram, para todos os séculos e milênios, a sementeira do Evangelho.

6
A mulher e o lar (I)

"Cada um permaneça na vocação em que foi chamado."

Um dos mais belos aspectos do Espiritismo é, sem dúvida, o que diz respeito ao problema da fixação da mulher dentro do lar.

E este fato, por si mesmo expressivo e jubiloso, evidencia, de maneira incontestável, a influência da nossa Doutrina nos surtos de progresso que assinalam, na atualidade, as conquistas humanas, influência segura e benéfica, proveitosa e construtiva.

Os movimentos feministas têm-se revelado inoperantes, pelo menos até hoje, uma vez que não conseguiram incutir na mulher a compreensão sublime da tarefa que lhe cabe na preparação da humanidade do porvir.

A verdade insofismável é que os lares se estão esvaziando na mesma proporção em que os clubes se tornam cada dia mais frequentados.

Enquanto a música sem inspiração, a dança, a bebida e o jogo vão consumindo a saúde e o dinheiro, o bom ânimo e a confiança de casais invigilantes, milhares de crianças, de todas as idades, órfãs de pais vivos, necessitadas de carinho e assistência, permanecem nos lares sob a guarda de auxiliares nem sempre dedicadas.

Em outros casos, os adolescentes acompanham os genitores aos clubes, ou buscam, eles próprios, ambientes onde esperam e procuram esvaziar, noite adentro, a taça do prazer e da ilusão.

Embora Paulo, traçando diretrizes sobre a estabilidade da família, recomende aos coríntios que "*cada um permaneça na vocação em que foi chamado*" (*I Coríntios*, 7:20) — isto é, a mulher no lar, educando e assistindo os filhos, e o homem nos deveres inerentes à sua própria natureza — o que se percebe, na atualidade, é que, enquanto os lares se despovoam, os clubes se enchem.

Deslumbrada por mirabolantes *slogans* de reivindicações de toda sorte, vai a mulher se deixando conduzir, pouco a pouco, pela estrada do superficialismo, esquecida, lastimavelmente, que a mais importante reivindicação que poderia fazer seria a de continuar reinando, soberana, em seu lar.

Não conhecemos postulação mais sublime, mais grandiosa, para a mulher: esposa e mãe, companheira do seu companheiro, educadora dos seus filhos.

Se a escola instrui, o coração materno educa.

Duas realidades, portanto, se afirmam: 1ª) o despovoamento dos lares, com os naturais e compreensíveis perigos à estabilidade do instituto doméstico; 2ª) o rápido crescimento dos cassinos e boates, onde a futilidade e o vinho fazem parelha com a desconfiança e a sedução, na vertiginosa corrida para o mais rápido aluimento dos sagrados alicerces da família.

A mulher contemporânea, especialmente nos chamados "meios civilizados", procura ajustar-se, por esnobismo ou ingenuidade, ao falso conceito de modernismo ou modernice.

Começa a perder, assim, sem que o perceba, como uma pessoa que se embriaga à força de pequeninos e sucessivos goles, o gosto pelo lar, a satisfação de ser a companheira dos seus filhos.

O ambiente requintado dos clubes alegra-lhe mais o coração do que a simplicidade, o recato do santuário doméstico, onde se plasmam os caracteres e de onde partem, para o mais incerto dos incertos destinos, os futuros cidadãos do mundo.

7
A mulher e o lar (II)

"...cada um permaneça diante de Deus naquilo que foi chamado."

A mulher foi chamada para o lar.

Competindo e rivalizando com os homens, inclusive em alguns excessos, vai ela, contudo, se habituando fora de casa.

Posterga, assim, de maneira imperceptível, o mais sublime e inalienável direito que o matrimônio e a maternidade edificante lhe concedem.

Abre mão, perigosamente, do mais belo atributo com que Deus a investiu, qual seja o de educar, ela própria, os filhos, com a transferência — ó infeliz e desnaturada transferência! — dessa divina atribuição às babás e auxiliares, muitas delas desprovidas de qualquer sentimento afetivo para com os entezinhos que a invigilância maternal lhes põe nos braços.

Sim — nos braços, apenas.

Abre mão, a mulher, maravilhada ante o brilho das reuniões sociais, da suprema ventura de acompanhar, muitas vezes com lágrima e sacrifício, o desenvolvimento mental e moral dos filhos, de partilhar-lhes as tristezas e alegrias, de sentir-lhes e anotar — para corrigir — os pequenos e grandes defeitos que pedem retificação, enquanto é tempo, defeitos e anfractuosidades cujo preço, no futuro, podem ser a desgraça e o sofrimento, a miséria e o crime.

A mulher parece não ouvir a advertência do grande Paulo: permanecer naquilo para que foi chamada; permanecer como rainha do lar, sacerdotisa da família.

Fixar o elemento feminino no lar, evitando que este se esvazie por completo, fazendo compreender que é ele a primeira sociedade que a criança conhece e da qual participa — eis a missão do Espiritismo, na atualidade e sempre.

Missão grandiosa, inadiável, séria, divina.

Existem mães, em grande número — e isso não constitui novidade para ninguém —, que nada sabem dos filhos, dos seus problemas, das suas necessidades, das suas deficiências.

A vida social intensa, expressando-se, quase sempre, através de consecutivas atividades noturnas, nos clubes ou em residências amigas, onde o aperitivo e o jogo disputam o título de mais eficiente "destruidor da paz doméstica", obriga os pais a irem para um lado e os filhos para outro.

Assegura Emmanuel, nosso querido e respeitável Instrutor, que o feminismo legítimo "deve ser o da reeducação da mulher para o lar, nunca para uma ação contraproducente fora dele".

É isso o que o Espiritismo, por seus divulgadores, pretende e deseja fazer.

Não desejamos violentar o livre-arbítrio de quem quer que seja, homem ou mulher, mas veicular o esclarecimento fraterno, construtivo.

Indicar os males decorrentes do desamor ao lar — sagrada instituição que teve por fundamento, na Terra, três personagens singulares.

A nobreza de um carpinteiro que se chamava José.

A santidade de uma virgem que se chamava Maria.

A sabedoria e a bondade de uma criança que se chamava JESUS.

Seria infantilidade de nossa parte negar que mulheres ilustres contribuíram, em todas as épocas da humanidade, atuando fora do lar, para o progresso da Ciência e da Arte, da Filosofia e da Religião.

Todavia, mesmo assim, apraz-nos a recomendação do Apóstolo tarsense.

Conforta-nos a observação de Emmanuel.

Da missão da mulher dentro do lar; do seu sacrifício e da sua renúncia; do seu sofrimento e de suas lágrimas; de sua abnegação e do seu anônimo labor, surgirá, para a humanidade, o amanhã de luz.

É no lar, entre as quatro paredes de uma casa, modesta ou opulenta, que a alma infantil recebe as primeiras lições de sensibilidade e carinho, as primeiras manifestações de nobreza e compreensão.

E não esqueçamos que um dia as mães do mundo inteiro ouvirão, na acústica da própria consciência, a voz de Deus, em forma de acusação ou de louvor:

"*Mães, que fizestes dos filhos que vos confiei?...*".

8
A primeira escola

"Deixai vir a mim os pequeninos..."

Quando Jesus atribuiu a si mesmo a qualidade de Caminho, Verdade e Vida, não fez, logicamente, uma declaração de ordem pessoal, mas se referiu, decerto, à mensagem que trouxera ao mundo, em nome e por delegação do Pai.

Reportou-se o Mestre, sem dúvida, aos ensinos, ao roteiro que traçava por norma de aperfeiçoamento, à moral que pregava e exemplificava.

O Evangelho é Caminho, porque, seguindo-o, não nos perderemos nas sombrias veredas da incompreensão e do ódio, da injustiça e da perversidade, mas perlustraremos, com galhardia e êxito, as luminosas trilhas da evolução e do progresso — da ascensão e da felicidade que se não extingue.

O Evangelho é Verdade, porque é eterno.

Desafia os séculos e transpõe os milênios.

Perde-se no infinito dos tempos...

O Evangelho é Vida, porque a alma que se alimenta dele, e nele vive, ganhará a vida eterna. Aquele que crê em

Jesus e pratica os seus ensinos viverá — mesmo que esteja morto.

*

Deixar ir a Jesus os pequeninos, levar as crianças ao Mestre não significa, pois, organizar, objetiva e materialmente, uma caravana de Espíritos de meninos — encarnados ou desencarnados — para, em luminosa carruagem, romperem as barreiras espaciais, vencerem as distâncias cósmicas e prostrarem-se, devotamente, ante o excelso Governador Espiritual do mundo, com a finalidade inconcebível, porque absurda, de lhe tributarem pomposas homenagens.

Conduzir as crianças a Jesus significa incutir-lhes nos corações os preceitos evangélicos, a fim de que os seus atos possam revelar, no futuro, nobreza e dignidade.

O Espiritismo, através das escolas de Evangelho, vem cuidando de levar os pequeninos ao Mestre, fazendo-os apreender as imortais lições da Boa Nova do Reino.

Urge, contudo, que o meritório esforço das nossas instituições, polarizando-se na criança, não encontre obstáculos na despreparação evangélica dos pais, para evitar que a criança "ouça", nos Centros, luminosos conceitos de espiritualidade e moral, mas "veja" e "sinta", dentro de casa, no próprio lar, inadequadas atitudes de egoísmo e torpeza.

Não basta, pois, evangelizar a criança nas instituições espíritas.

É imprescindível que essa educação alcance, também, os genitores ou responsáveis, evitando-se, destarte, se estabeleça na incipiente alma infantil a desastrosa confusão de "ver" e "ouvir", em casa, atitudes e conceitos bem diversos dos que "vê" e "ouve" nas aulas de Evangelho e Espiritismo.

A primeira escola é o lar.

E o lar evangelizado dá à criança, grava-lhe, na consciência, as firmes noções do Cristianismo sentido e vivido.

Imprime-lhe, no caráter, os elementos fundamentais da educação.

É necessário que a criança sinta e se impregne, no santuário doméstico, desde os primeiros instantes da vida física, das sublimes vibrações que só um ambiente evangelizado pode assegurar, para que, simultaneamente com o seu desenvolvimento moral e intelectual, possa ela "ver" o que é belo, "ouvir" o que é bom e "aprender" o que é nobre.

Se o lar não é evangelizado, as lições colhidas fora dele podem ser, apenas, um conhecimento a mais, no campo religioso, para a inteligência infantil.

Um conhecimento a mais não passa de um acidente instrutivo. E o que devemos buscar é a realidade educativa, moral, que tenha sentido de perene renovação.

Cuidar da criança — esquecendo os pais da criança — parece-nos esforço incompleto.

Não adianta ser a criança aconselhada, na escola de Evangelho por devotadas instrutoras ou instrutores a se expressarem de maneira conveniente, se observa ela, em casa, palavrões e gírias maliciosas, impropriedades e xingamentos.

Se o lar é uma escola — A PRIMEIRA ESCOLA — e se os pais representam para os filhos, como primeiros educadores, o que há de melhor sob o ponto de vista de cultura e respeito, experiência e autoridade, evidentemente a criança será inclinada — entre os pais que proferem palavrões e grosserias e a professora de Evangelho que ensina boas maneiras e sobriedade no vocabulário — a seguir os primeiros.

Com os pais a criança dorme, levanta-se, faz refeições e convive, diuturnamente.

O convívio da criança, na aula de Evangelho, com os instrutores verifica-se uma vez por semana, durante uma hora ou pouco mais.

E não nos esqueçamos de que, na opinião dos filhos, os pais são os *maiores*.

Contribuir para que os pequeninos possam "ir a Jesus", mediante o aprendizado evangélico, representa, a nosso ver, providência correlata, simultânea com o esforço de "levar a Jesus" os pais, preparando-os, condignamente, para a missão da paternidade ou da maternidade.

Informa a sabedoria popular que o exemplo deve vir de cima...

9
Reencarnação e Espiritismo

"Necessário vos é nascer de novo."

Não foram os espíritas que inventaram a Reencarnação — palavra que grafamos com inicial maiúscula, em homenagem de nossa alma agradecida à lei sábia e misericordiosa que projetou luz sobre o até então incompreendido problema do ser, do destino e da dor.

O ensino reencarnacionista vem de muito longe, de povos antigos e remotíssimas doutrinas.

Ao Espiritismo couberam, apenas, a honra e a glória de estudá-lo, sistematizando-o, para convertê-lo, afinal, num dos principais, senão no principal fundamento de sua granítica estrutura doutrinária.

Grandes vultos do passado, no campo da Religião, da Filosofia e da Ciência, aceitaram e difundiram a Reencarnação.

Orígenes (nascido em 185 e falecido em 254), considerado por S. Jerônimo como a maior autoridade da Igreja de Roma, afirma, no livro *Dos princípios*, em abono da tese básica do Espiritismo: "As causas das variedades de condições humanas são devidas às existências anteriores".

São, ainda, do eminente e consagrado teólogo as seguintes palavras: "A maneira por que cada um de nós põe os pés na Terra, *quando aqui aportamos,* é a consequência fatal de como agiu anteriormente no universo".

Ainda de Orígenes: "Elevando-se pouco a pouco, os Espíritos chegaram a este mundo e à ciência dele. Daí subirão a melhor mundo e chegarão a um estado tal que nada mais terão de ajuntar".

Krishna, no *Bhagavad Gita* (o Evangelho da Índia), predica, com absoluta e inegável clareza: "Eu e vós tivemos vários nascimentos. Os meus, só são conhecidos de mim; vós não conheceis os vossos".

Os *Vedas*, milhares de anos antes de Jesus Cristo, difundiam, largamente, a ideia reencarnacionista.

Buda aceitava e pregava a Reencarnação.

Os sacerdotes egípcios ensinavam que "as almas inferiores e más ficam presas à Terra *por múltiplos renascimentos,* e que as almas virtuosas sobem, voando para as esferas superiores, onde recobram a vista das coisas divinas".

Na Grécia, berço admirável de legítimos condores do pensamento e da cultura, encontramos Sócrates, Platão e Pitágoras como fervorosos paladinos das vidas sucessivas.

Sócrates ensinava que "as almas, depois de haverem estado no Hades o tempo necessário, são reconduzidas a esta vida *em múltiplos e longos períodos*".

O ensino pitagórico era, como é notório, essencialmente reencarnacionista, dele advindo, por falsa interpreta ção de mentes pouco evoluídas, a errônea teoria da metempsicose.

Entre os romanos, Virgílio e Ovídio disseminavam os princípios reencarnacionistas.

Ovídio chegava a dizer: "quando minha alma for pura, irá habitar os astros que povoam o firmamento", admitindo, assim, semelhantemente aos espíritas, a sucessividade das vidas em outros planetas.

S. Jerônimo afirmava, por sua vez, "que a transmigração das almas fazia parte dos ensinos revelados a um certo número de iniciados".

Deixemos, contudo, esses consagrados vultos, cuja opinião, embora respeitável e acatada, empalidece ante a opinião da figura máxima da humanidade — nosso Senhor Jesus Cristo.

O sublime Embaixador pregou a Reencarnação.

Algumas vezes, de forma velada; outras, com objetividade e clareza.

Falando a respeito de Elias, o profeta falecido alguns séculos antes, diz o Mestre: *"Elias já veio e não o conhecestes"*, compreendendo então os discípulos que se referia a João Batista (Elias reencarnado).

No famoso diálogo com Nicodemos, afirma que ninguém alcançará o reino de Deus *"se não nascer de novo"*.

Nascer da água e do Espírito — o que completa a intenção, o pensamento reencarnacionista de Jesus.

Em outra oportunidade, externando por meio de simples alegoria sobre a lei de causa e efeito — ou carma —, sentencia: *"Ninguém sairá da Terra sem que pague até o último ceitil"*, isto é, até a completa remissão das faltas.

Como se vê, o Espiritismo não criou, não inventou a Reencarnação.

Aceitando-a como herança de eminentes filósofos e de respeitáveis doutrinas, de Jesus e de seus discípulos, e confirmada, a seu tempo, pelos Espíritos do Senhor, o Espiritismo promoveu o seu estudo, a sua difusão, a sua exegese.

Ela é, contudo, antiquíssima, conhecida e professada antes do Cristo, na época do Cristo e em nossos dias.

Há mais de um século o Espiritismo apresenta-a por único meio de crermos num Pai justo e bom, que dá a cada um "segundo as suas obras" e como elemento explicativo da promessa de Jesus, de que "nenhuma de suas ovelhas se perderia".

A Reencarnação é a chave, a fórmula filosófica que explica, sem fugir ao bom senso nem à lógica, as conhecidas desigualdades humanas — sociais, econômicas, raciais, físicas, morais e intelectuais.

Sem o esclarecimento palingenésico, tais diversidades deixariam um doloroso "ponto de interrogação" em nossa consciência, no que diz respeito à Justiça divina.

Sem as suas claridades, seria a Justiça de Deus bem inferior à dos homens.

Teríamos um Deus parcial, injusto, caprichoso, cruel, impiedoso mesmo.

Um Deus que beneficiaria a uns e infelicitaria à maioria.

Com a Reencarnação, temos justiça incorruptível, equânime, refletindo a ilimitada bondade do Criador.

Um Deus que perdoa sem tirar ao culpado a glória da remissão de seus próprios erros.

Um Deus que perdoa, concedendo ao culpado tantas oportunidades quantas ele necessite para reparar os males que praticou.

Com a Palingenesia, temos um Deus que se apresenta, no altar de nossa consciência e no templo do nosso coração, como Pai misericordioso e justo, um pai carinhoso e magnânimo, que oferece *a todos os seus filhos* os mesmos ensejos de redenção, através das vidas sucessivas — neste e noutros mundos, mundos que são as "outras moradas" a que se refere Jesus no Evangelho.

Tantas vidas quantas forem necessárias, porque o essencial e o justo é que "nenhuma das ovelhas se perca"...

10
Contentar-se

"Tendo sustento e com que nos vestir, estejamos contentes."

Depois de chamar a atenção de Timóteo para os perigos da riqueza, e acentuar que do mundo "coisa alguma podemos levar", traça o apóstolo da gentileza para o seu jovem discípulo um sistema de vida capaz de prepará-lo convenientemente para o Reino do Evangelho.

Assim, exorta-o com humildade: *"Tendo sustento e com que nos vestir, estejamos contentes".* (*I Timóteo*, 6:8.)

A imensa maioria dos homens vive inquieta, lutando por acumular bens materiais, guardando-os avidamente; porfiando por aumentar patrimônios terrestres, sem a imprescindível conversão a favor do progresso geral, e pelejando por capitalizar recursos, na triste e enganosa ilusão de que a paz espiritual está condicionada aos tesouros perecíveis.

O mundo está repleto de criaturas que não dormem bem, avassaladas por terríveis pesadelos.

Conservam a mente voltada para os registros do caixa e da contabilidade, que lhes balanceiam os vultosos negócios, as fabulosas transações.

Ganhar e guardar — eis o programa dessas criaturas...

São, realmente, almas equivocadas, que merecem piedade.

Cristalizadas no egoísmo e na avareza, confinam ao bolso e ao cofre, à conta bancária e ao lucro, as próprias aspirações.

Sonham com a multimilionaridade dos bens transitórios, que as traças consomem e os ladrões roubam, indiferentes a que suas almas eternas permaneçam mendigas dos tesouros da imortalidade.

Para tais companheiros, as noites são mal dormidas, as madrugadas excessivamente penosas, cada novo dia um motivo de inquietação íntima.

Os valores monetários, traduzidos pelos talões de cheque e pelas cintilantes moedas, bailam em suas imaginações sobre-excitadas, noites adentro, executando, ao compasso de estranha orquestração, a obsidente dança dos cifrões.

Buscam uma felicidade que, realmente, inexiste.

Uma despreocupação que nunca chega.

A legítima felicidade — a felicidade indestrutível não é filha da riqueza, mas da paz de consciência.

A quietude interior e a despreocupação não são filhas da fortuna imobilizada, embora a fortuna em movimento, cristãmente elaborada e fraternalmente aplicada, seja sempre instrumento de alegria e prosperidade.

Alegria e prosperidade não só para os que a possuem, mas também para os lares onde há carência de pão e roupa.

A riqueza, escondida no cofre de alguns, significa falta de trabalho para muitos.

Sem dúvida, dentro do clima utilitarista em que vive e respira o homem comum, não se pode exigir que o conselho de Paulo encontre ressonância nos dias da atualidade.

Enquanto o homem espiritual se sente feliz "tendo o sustento e a veste", adquiridos no trabalho digno, o homem material abre a máscara fisionômica, num misto de sarcasmo e desprezo, ante a exortação do Apóstolo.

O homem que não está realizando, pelo menos, o esforço por se desprender do mundo, não pode compreender esta sobriedade, este recato, esta moderação no possuir.

Todo o seu ser, milenarmente viciado no egoísmo doentio, vibra e anseia, trabalha e luta por um objetivo, exclusivo e avassalante, que se poderia denominar de "meta do desespero": acumular na Terra os tesouros que da Terra não poderão ser levados.

Todavia, à maneira da água generosa que se precipita, constante, sobre o granito, indiferente à sua dureza e insensibilidade, a palavra renovadora de Jesus e dos seus apóstolos deve continuar projetando-se sobre o penhasco do coração humano, afeiçoando-o, com o tempo, ao entendimento superior.

O homem espiritual, precursor da humanidade do futuro, para sentir-se feliz, deseja simplesmente ter "o sustento e a veste", a saúde e o trabalho.

O homem material, segundo os padrões modernos, julga-se feliz quando vê o cofre recheado, a conta bancária subindo, o patrimônio econômico-financeiro crescendo.

Em quaisquer circunstâncias, contudo, no tempo e no espaço, permanece a recomendação de Paulo a Timóteo: *"Tendo sustento e com que nos vestir, estejamos contentes"* — compelindo-nos a lutar na Terra, sem tirar os olhos do Céu.

11
Reencarnação e Evangelho

"Na casa do meu Pai há muitas moradas."

O homem que anseia e busca a espiritualização própria deve contrapor sua ação benéfica, sua atividade construtiva, seu labor fraterno, ao trabalho das inteligências pervertidas.

Tais inteligências, operando no plano físico e no espiritual, visam à desagregação, à desarmonia.

Promovendo ou estimulando empreendimentos que se harmonizem inteiramente com os ideais do Cristianismo, devemos evitar que o conhecimento inoperante nos transforme em palacetes iluminados, de portas fechadas e em pleno deserto, distanciados da ignorância e da perversidade, do sofrimento e da lágrima.

Devemos ser o tugúrio humilde, mas sempre aquecido, hospitaleiro e bom, onde o copo de água fria e o caldo reconfortante retemperem o viajor cansado das longas jornadas, nas difíceis e labirintosas veredas da ascensão.

O conhecimento do Espiritismo — promessa de Jesus através do Consolador, do Paracleto — dá-nos uma compreensão de como foi profundo e sábio o Mestre quando insistia, junto aos discípulos, para que disseminassem a sua palavra.

Jesus não beneficiava, apenas, a um povo, a uma geração.

Seu coração, amoroso e compassivo, abrangia a Terra inteira. Do Oriente ao Ocidente.

Sua luz confundia-se com as luzes, concentradas, de infinitos sóis.

Seu coração, generoso e fraterno, desdobrava-se para outras "moradas do Pai".

Por isso, o Sublime Educador não cessava de recomendar a expansão do Evangelho, a pregação da Boa Nova.

Majestoso, Eterno, Grandioso — apascentava, com infinita ternura, bilhões de ovelhas transviadas.

*

Sendo o Pão da Vida e a Luz do Mundo, nosso Senhor Jesus Cristo era, por conseguinte, a mais completa manifestação de sabedoria e amor que a Terra, em qualquer tempo, jamais sentira ou conhecera.

No passado e no presente.

A palavra do Mestre se refletiu e se reflete, salutar e construtivamente, em todos os ângulos evolutivos da humanidade.

No campo da moral.

Na esfera da cultura.

Na gleba do sentimento.

Em "outras moradas do Pai", onde evoluem ovelhas que não pertencem ao plano terreno, o verbo do Senhor impregna todos os seres de um perfume que se não esvai.

De uma luz que se não apaga...

De um esplendor que se não dissipa...

De uma esperança que se não extingue...

De uma vitalidade que se não estiola...

...a ventania das paixões humanas jamais apagará uma só das luzes de Deus.

Se às religiões, inclusive ao Espiritismo, faltasse o alimento evangélico, a seiva cristã, todas elas empalideceriam, debilitadas, inermes, exangues cadaverizadas...

Sem vida e sem calor.

Sem alma.

Mortas...

Certa vez, ouvimos de amado instrutor espiritual: "A reencarnação, conhecida de vários povos e civilizações, não conseguira, até o advento de Jesus, tornar o homem mais feliz, mais fraterno. Com Jesus, no entanto, sofreu ela um banho de luz e misericórdia".

Lapidares, comoventes, inesquecíveis palavras!

O tempo, inexorável Saturno, não as apagou de nossa memória.

Com o Mestre da cruz, a palingenesia inundou-se, de fato, de amor.

Ao *"necessário vos é nascer de novo"*, do inolvidável diálogo com Nicodemos, juntou o Cristo o *"amai-vos uns aos outros"*, regra áurea do Evangelho imortal.

E assim, sob o impulso fraterno da palavra do Cristo de Deus, vai a humanidade terrena e a de "outras moradas" caminhando, a passos seguros, na direção de seus gloriosos destinos.

Em busca da luz, do amor, da perfeição.

No rumo da Vida, da verdadeira Vida.

12
CONVIVÊNCIA

"Eu não vim chamar os justos..."

Foi o banquete em casa de Levi, o futuro evangelista Mateus, que ensejou ao Mestre as palavras em epígrafe.

Palavras que venceriam os séculos, os milênios...

Levi era publicano, o que, na antiga Roma, significava "cobrador de impostos".

Os publicanos eram detestados pelos judeus, que não gostavam de pagar tributos a César, especialmente porque os misteres de arrecadação favoreciam, da parte de funcionários inescrupulosos, já àquele tempo, extorsões duras e polpudas.

De maneira geral, portanto, eram malvistos os publicanos, na comunidade israelita, embora entre eles houvesse homens de bem, inatacáveis por sua probidade.

Prevalecia, contudo, o conceito genérico: os publicanos eram espoliadores do povo.

O convite a Levi Mateus; a presença de Jesus em sua casa; o lauto banquete por ele oferecido ao Mestre, tudo isso constituiu motivo para censuras e comentários mordazes.

O mesmo acontecera na visita do Senhor a Zaqueu, também publicano.

A atitude caridosa do Amigo celeste produziu tamanha celeuma entre fariseus e escribas, fiéis e inconfundíveis representantes do formalismo e da hipocrisia, que eles não se contiveram, interpelando o Justo dos Justos: *"Por que comeis e bebeis com publicanos e pecadores?"*.

E o Mestre, sem trair a grandeza, a excelsitude do seu incompreendido apostolado, apostolado de luz e de misericórdia, responde-lhes, com firmeza, que os sadios *"não precisam de médico, e sim os doentes"*.

E conclui, incisivo, categórico: *"Eu não vim chamar os justos, mas sim os pecadores ao arrependimento"*. (*Lucas*, 5:30 a 32.)

Tais palavras revelam não só infinita compaixão pelos infelizes, que são os que pecam, mas também incomensurável sentimento de tolerância.

A advertência do Cristo, emudecendo, naquele dia, os loquazes fariseus, ecoa, ainda hoje, em nossa consciência, estabelecendo linhas diferentes para a nossa caminhada.

O Espiritismo tornou suas as palavras de Jesus, cujo pensamento sintetiza na atualidade.

E os espíritas de boa vontade, esclarecidos e fraternos, esforçam-se no sentido de dar-lhes aplicação.

Os espíritas, procurando assimilar e exemplificar o ensino, reconhecem que, se é realmente agradável o convívio com irmãos superiores, profundamente fraterno e meritório é o acolhimento àqueles que ocupam, na escala evolutiva, posição menos segura que a nossa.

Os companheiros mais esclarecidos têm muito para nos dar, através da palavra e, sobretudo, da exemplificação.

Aos mais atrasados do que nós, podemos oferecer algo de nosso coração, de nosso entendimento.

Assimilar dos mais evoluídos a bondade e a sabedoria é realmente proveitoso às nossas experiências. Proveitoso e bom, agradável e envolvente, convenhamos.

No entanto, abraçar os que aceitaram, por equívoco, as sugestões do erro e do crime constitui valioso programa evangélico, tal como fez Jesus em casa de Zaqueu ou no banquete de Levi.

Por meio desse regime de interdependência, afetiva e cultural, é que se movimentam os carros do progresso, conduzindo a humanidade, com segurança, para os seus alevantados objetivos.

"A mente, em qualquer plano, emite e recebe, dá e recolhe, renovando-se constantemente para o alto destino que lhe compete atingir" — esclarece o nobre Emmanuel.

Recolhendo de Jesus, na inesquecida hora do banquete mundano, o verbo reajustador, Levi Mateus soube multiplicar, a cento por um, através de suas anotações, o benefício do precioso minuto de convivência com o Mestre.

E somos nós, os aprendizes da atualidade, os beneficiários daquela convivência tão acremente censurada...

Somos nós os legatários dos sublimes apontamentos.

13
Reencarnação e família

"Ninguém verá o reino de Deus se não nascer de novo."

Um dos argumentos mais comuns dos opositores do Espiritismo é o de que a Reencarnação, sua lei básica, destrói os laços de família.

Tal argumento, como tantos outros que a ignorância e a má-fé suscitaram, visando a obstar a marcha triunfante e galharda da Terceira Revelação, não resiste ao mais simples raciocínio, ao mais leve exame da lógica e do bom senso.

É por meio da Reencarnação — e graças exclusivamente a ela — que os laços da fraternidade se ampliam e se fortalecem, notadamente nos círculos da consanguinidade.

Sem as noções da palingenesia, reduzida seria a nossa família espiritual, porque, em princípio, também reduzida seria a nossa família corporal.

Pela Reencarnação, prolongam-se as afeições além da vida física.

Continuam, os laços e vínculos espirituais, noutros mundos e noutras existências.

Por seu intermédio, estabelecem-se ligações eternas entre corações que se reencontram, inúmeras vezes, na paisagem do mundo, renovando experiências de aprimoramento.

Impossível se nos afigura considerar a Reencarnação por doutrina prejudicial aos laços de família.

Somente podemos entendê-la como afirmação de solidariedade entre os seres, a refletir, assim, em toda a sua plenitude, a Bondade celeste.

Somente podemos entendê-la por elemento divino de reunião de almas, no mesmo grupo ou ambiente, povo ou nacionalidade, para consolidação de afetos iniciados, noutros grupos e noutros povos, em tempos que se foram.

Existe, ainda, outro aspecto que igualmente revela a excelsitude, a benemerência da Reencarnação: se, por ela, amigos se reaproximam no mesmo lar, também no mesmo lar adversários se reencontram para a definitiva extinção de ódios cuja origem se perde nas brumas do pretérito.

Não fora a Reencarnação — faltar-nos-iam oportunidades de reconciliação com aqueles a quem ofendemos ou ferimos, ou que nos ofenderam ou feriram.

Logo, benéficos são os efeitos, as consequências da Reencarnação.

Como poderíamos, igualmente, restabelecer o contato com almas que semearam espinhos em nosso caminho e com almas que tiveram em seu caminho pedras colocadas por nós?

Como poderíamos voltar ao cenário terrestre a fim de, ao lado de companheiros de outras jornadas, concluir programas individuais ou coletivos apenas esboçados ou simplesmente iniciados?

Como nos reabilitarmos perante almas que, situadas em nossa estrada evolutiva, na condição de filhos e esposas, parentes e amigos, tiveram suas vidas e seus destinos complicados pela nossa desatenção aos preceitos do Evangelho?

Como vemos, ao invés de destruir os laços de família, os liames da consanguinidade, a Reencarnação os fortalece e consolida.

Assegura-lhes a perpetuidade na Terra e noutros mundos.

Se o divino Mestre exaltou-a várias ocasiões, inclusive com o *"ninguém verá o reino de Deus se não nascer de novo"*, a Doutrina Espírita glorificou-a na síntese admirável que a bandeira do nosso movimento filosófico ostenta, galhardamente: "Nascer, morrer, renascer ainda e progredir sempre, tal é a Lei".

Jesus e Kardec plenamente identificados na lei magnânima.

A Reencarnação nega o egoísmo, pois afirma, de maneira eloquente, a solidariedade entre os seres.

Divulgá-la, torná-la conhecida, é acender no coração da humanidade a lâmpada da Esperança.

Ela dissolve o preconceito, em qualquer de suas manifestações.

A Reencarnação é bálsamo, também, para o sofrimento.

É chave que abre a porta para a compreensão dos mais complexos problemas humanos.

É luz que clareia a noite de nossos sofrimentos e de nossos anseios para a vida mais alta.

A Reencarnação, em síntese, é Amor...

14
Advertência

"Andai enquanto tendes a luz."

A palavra do Mestre abrange variegadas nuanças da experiência humana, compelindo-nos a raciocínios evidentemente simples, porém, mais dilatados, na esfera do aprendizado para a Vida Superior.

Enquanto andamos no mundo, desfrutamos de excepcionais vantagens, que nos enriquecem a marcha redentora.

Os pés para a locomoção.

Os braços e as mãos para o trabalho.

A visão física integral.

A faculdade de ouvir, falar, sentir, escrever.

A saúde do corpo e a razão esclarecida proporcionando o equilíbrio do binômio "alma-corpo".

Em torno de nossos passos, infinitas bênçãos se desdobram, fartas e exuberantes, suaves e perfumadas.

O encanto das noites enluaradas.

A beleza dos céus estrelados.

O esplendor da claridade solar.

A opulência da natureza, com a graça de seus incomparáveis panoramas e o delicado aroma de suas flores — tudo isso constitui bênção em nosso caminho.

Chova ou faça sol, dispomos, invariavelmente, de 24 horas que se repetem, na ampulheta do tempo, descortinando cada manhã novas searas, novos recursos educativos na senda do aperfeiçoamento.

Na senda do progresso, pois não somos órfãos da Misericórdia celeste.

No esforço de aprimoramento, visto que não somos deserdados da sorte.

*

Semelhantes patrimônios foram acrescidos, há dois milênios, dos tesouros do Evangelho, das sublimes claridades que Jesus Cristo deixou no mundo para que no mundo fosse possível à criatura humana palmilhar a estrada evolutiva sob a bênção do entendimento maior.

Somos, hoje, beneficiários da luz da razão — que nos garante a escolha do melhor, do mais conveniente.

Brilha-nos a consciência, por divina aquisição, no santuário de nossa individualidade eterna — a nos preservar do obscurantismo.

Adquirimos, na esteira dos milênios sem conta, o senso moral — que nos distancia da irracionalidade.

Magníficos patrimônios, indestrutíveis, inalienáveis, milenárias porfias nos legaram.

Advertência

A oportunidade, na presente reencarnação, de nos enriquecermos para o futuro, caracteriza-se não só por todos esses elementos de progresso consciente, mas também pelos benefícios da normalidade somática e da lucidez psíquica.

Desconhecendo o instante em que a nossa alma "será pedida", em virtude da indefectível transição a que todo ser encarnado está sujeito, é imprescindível não desprezemos a luz.

Urge buscar a claridade, "enquanto estamos a caminho", para que o amanhã, no Espaço ou de novo na Terra, não nos responda em termos de sombra e angústia, confusão e desespero.

Os problemas do após-morte — nenhum espírita esclarecido desconhece semelhante realidade — relacionam-se, intimamente, com o nosso atual comportamento psicofísico, não só na esfera dos atos, propriamente ditos, como da palavra e do pensamento.

Falar e agir, pensar e escrever, constituem sementeiras que produzirão, mais tarde, em qualquer tempo e lugar, os frutos que se lhes equivalem.

Todos os fenômenos com que nos defrontaremos, após a transposição dos pórticos do Além-túmulo, resultarão da maneira pela qual tivermos "andado no mundo".

Fenômenos agradáveis ou desagradáveis, de equilíbrio ou desajuste, de paz ou de remorso, de ventura ou de infortúnio...

Por isso, decerto, asseverava fraternalmente o Mestre: "*andai enquanto tendes a luz...*" (*João*, 12:35.)

Andai enquanto todas as possibilidades vos felicitarem o caminho — é o que certamente recomendava o Cristo, através da suave advertência, do amoroso aviso.

A Doutrina Espírita, revivendo as imortais lições do celeste benfeitor, lembra aos homens a necessidade do aproveitamento da oportunidade de nossa presença no corpo físico, de modo a convertermos os preciosos minutos de nossa existência em abençoado ensejo de crescimento e iluminação.

15
Reencarnação e reajuste

*"...Reconcilia-te com o adversário,
enquanto estás a caminho."*

Entre uma pessoa que acredita, simplesmente, numa única existência — com início no berço e término na sepultura —, e outra, crente na multiplicidade das vidas, a segunda terá, sem dúvida, maior facilidade para compreender e aproveitar o ensinamento do Mestre.

Faze as pazes com o adversário enquanto dispões da oportunidade...

O homem não reencarnacionista, supondo que a vida se resume no que aí está — nascer, viver, comer, procriar e morrer, indo, depois, para o Céu, o inferno ou para o Nada — um homem nessas condições, inteiramente divorciado de qualquer programa superior, não compreenderá por que deva reconciliar-se com um inimigo.

Dificilmente se lhe provará que deva ir ao encontro de um obscuro desafeto, pois que dele não necessita, dele nada espera, com ele não se incomoda.

A não ser que possua espontânea sensibilidade, excepcionalmente o homem afortunado e poderoso concordaria em procurar o adversário humilde, pobrezinho, para com ele reconciliar-se, especialmente se considera que a razão está do seu lado.

O orgulho, a vaidade, o amor-próprio, enfim, levantarão, entre ambos, intransponível barreira.

O argumento do homem orgulhoso, que não crê nem cogita da vida futura, será, invariavelmente, este: "Não preciso de ninguém; logo, por que me hei de humilhar?".

Assim pensa, assim vive, assim age, logicamente.

Assim procede, porque só vê a vida presente.

Não vislumbra, sequer, uma nesga do futuro — futuro que, para o espírita sincero, é sempre sinônimo de responsabilidade.

O contrário acontece com o homem que acredita na imortalidade da alma e avança, ainda, um pouco mais: crê, uma crença firme, porque consciente, na Reencarnação.

Crê no retorno à paisagem do mundo, por necessidade evolutiva, em experiências provacionais ou expiatórias, ou para a execução de tarefas em nome do Senhor.

A doutrina reencarnacionista exerce salutar influência na vida, no destino, na felicidade do ser humano.

A noção, consciente, das vidas sucessivas implica, tacitamente, normalmente, na melhoria do comportamento individual.

O reencarnacionista sabe que o Espírito eterno somente conhecerá a ventura definitiva, integral, plena, intransferível, se houver paz no seu coração, no recesso de sua alma, nos refolhos conscienciais, aquela paz que resulta da harmonia com o próximo, e, principalmente, da harmonia consigo mesmo, com o seu mundo íntimo.

O homem que acredita na lei das vidas sucessivas, e procede segundo esta crença, leva mais vantagem do que aquele que supõe comece a vida no berço e termine na sepultura.

A desvantagem é para o que não crê no "pré" e no "pós" ensinados pelo Espiritismo: preexistência e pós-encarnação.

O bem que fizermos aos nossos adversários, favorecendo, assim, a reconciliação ainda neste mundo — "enquanto estamos a caminho" — tem a faculdade de nos beneficiar relativamente ao passado, ao presente e ao futuro.

De que maneira? — eis, por certo, a indagação.

Normalmente — com a ressalva de que toda regra tem exceção — as inimizades de hoje têm sua origem no ontem.

Ao nos defrontarmos com inimigos de outras vidas, antigas rivalidades se renovam.

Remotas fogueiras voltam a crepitar, inflamando labaredas que o sopro da ignorância e do orgulho acendeu no pretérito.

Não devemos lançar nessas fogueiras o combustível da intransigência e do rancor.

Atentos ao "reconcilia-te com o adversário", do celeste benfeitor, e, ainda, considerando a necessidade inadiável do aperfeiçoamento espiritual, o reencarnacionista de boa vontade pode, *hoje*, mediante a prática do bem, interromper velhos antagonismos de *ontem*, evitando, assim, a propagação das fogueiras.

Novas culpas, novos débitos, com o inevitável cortejo de sofrimento e lágrima, serão, portanto, evitados.

Eis aí os benefícios que a Reencarnação, com o seu natural incentivo à fraternidade, nos traz com vistas aos enganos do passado.

Erros seculares desaparecem ante o abençoado milagre da reconciliação amorosa.

16
Riqueza

"...é mais fácil passar um camelo pelo fundo de uma agulha..."

A Doutrina Espírita oferece aos seus adeptos — àqueles que lhe procuram observar e sinceramente absorver as luzes santificantes — adequado conceito em torno de tão importante quão difícil aspecto da experiência humana: a *riqueza*.

Há quem enriqueça pelo esforço próprio, no trabalho honesto.

Há quem se torne milionário por efeito de heranças ou doações.

Há, contudo, os que trazem suas arcas repletas em consequência de atividades ilícitas, desonestas, espoliando aqui, enganando acolá, defraudando mais adiante.

A fortuna, todavia, em si mesma não é boa nem má. É neutra — absolutamente neutra.

Em forma de cintilantes moedas ou expressando-se por cédulas de alto valor, conserva ela, contudo, a sua neutralidade.

O homem, pela aplicação que lhe dá, é quem a transforma em veículo do bem ou do mal, de salvação ou condenação, alterando-lhe a finalidade.

Com ela pode o homem construir soberbos monumentos de benemerência; mas também pode cavar, diante de si, abismos de alucinação e crime.

A riqueza bem aplicada, enobrecendo quem a possui, provê de remédio, de alimento, de vestuário, o lar humilde onde, tantas vezes, a vergonha digna se oculta humilhada, retraída.

A riqueza mal aplicada, enclausurando o homem nas teias da ambição, condu-lo à miséria espiritual, à demência, à loucura.

Como se vê, podemos convertê-la em bênção ou condenação em nossa vida.

O homem esclarecido, que se desprendeu do corpo deixando valiosos recursos, econômicos ou financeiros, alegrar-se-á, sentir-se-á ditoso, se notar que tais recursos estão espalhando na Terra o perfume da caridade, nas suas mais diversas manifestações.

No copo de leite para a criança enferma.

No prato de sopa para o necessitado.

No vestuário para o que se defronta com dificuldades.

Na intelectualização e espiritualização do seu semelhante.

Se deixou alguém no mundo largas possibilidades materiais e não se encontra, espiritualmente, em boas condições, as preces de reconhecimento de seus beneficiários alcançar-lhe-ão onde estiver, em forma de consolação e paz, bom ânimo e reconforto, felicitando, destarte, doador e legatários.

Há um tipo de riqueza que constitui, invariavelmente, uma brasa na consciência de quem a deixou no mundo, embora possam os herdeiros, aplicando-a cristãmente, suavizar-lhe o sofrimento, abrandar-lhe o remorso.

É a que se adquire por meios escusos, por inconfessáveis empreendimentos, apoiados na exploração dos semelhantes.

Riqueza abençoada é aquela que, obtida no trabalho digno, expande-se, fraternal e operosamente, criando o trabalho e favorecendo a prosperidade.

A que estimula realizações superiores, nos diversos setores da atividade humana, convertendo-se em rosas de luz para o Espírito eterno nos divinos jardins do Infinito.

Esse tipo de riqueza e essa forma de aplicá-la favorecem a ascensão do homem, uma vez que, possuindo-a, não é por ela possuído.

A riqueza mal adquirida e mal aplicada conservará o seu detentor em consecutivas repetições de dramas expiatórios, nos caminhos terrestres e nas sombrias regiões da vida espiritual.

Asseverando ser *"mais fácil passar um camelo no fundo de uma agulha do que entrar um rico no reino de Deus"* (*Mateus*, 19:24.), não quis o Mestre menosprezar a prosperidade, que é um bem da vida.

Nem condenar, irremissivelmente, o companheiro afortunado.

O que o Mestre pretendeu, decerto, foi advertir-nos quanto aos perigos do excesso, do supérfluo, porque nossas mãos invigilantes estão habituadas ao abuso.

Temos sido, no decurso dos milênios, campeões da extravagância.

Reconhecia Jesus que a fortuna em poder de criaturas que estagiam, ainda, no clima do egoísmo, nas estações da avareza, imersas na insensibilidade, é sempre porta aberta — diríamos melhor — escancarada para o abismo.

A única riqueza, em verdade, que não oferece margem de perigo, é a riqueza espiritual, os tesouros morais que o homem venha a adquirir.

É a riqueza que se não manifesta, exclusivamente, por meio de cofres recheados, nem de palacetes suntuosos e patrimônios incalculáveis, afrontando a indigência.

É a que se traduz na posse, singela e humilde, dos sentimentos elevados.

Por esse tipo de riqueza, imperecível e eterna, podemos e devemos lutar, denodada e valentemente.

Com toda a força do nosso coração.

Com toda a energia de nossa alma.

17
Reencarnação e resgate

"Não é que ele tenha pecado, nem seus pais..."

Certa vez os discípulos, apresentando a Jesus um cego de nascença, formularam a seguinte pergunta: *"Mestre, quem pecou, este homem ou seus pais, para que nascesse cego?"*.

Antes de examinar, à luz do Espiritismo, a resposta do Senhor, ressaltemos o fato de os discípulos acreditarem na Reencarnação, pois somente a crença nas múltiplas existências poderia justificar semelhante pergunta.

Tudo indica que Jesus conversava sobre o assunto, na intimidade com os discípulos, após as longas caminhadas, embora de público, junto à multidão incapaz de entender a tese transcendental, fizesse silêncio.

O Mestre sabia que os homens da época não tinham olhos para enxergar.

Não tinham ouvidos para entender.

Escutavam, mas não compreendiam.

A respeito da crença dos judeus na Reencarnação, ouçamos o que escreve Léon Denis, no magnífico livro *Cristianismo e espiritismo*, n° 5 "Sobre a Reencarnação":

> *Em suas obras, faz o historiador Josefo profissão de fé na reencarnação; refere ele que era essa a crença dos fariseus. O padre Didon o confirma, nesses termos, na sua Vida de Jesus:* 'Entre o povo judeu, e mesmo nas escolas, acreditava-se na volta da alma dos mortos na pessoa dos vivos'.
> *É o que explica, em muitos casos, as perguntas feitas a Jesus por seus discípulos.*

A resposta do Cristo foi clara: o homem *que ali estava* não havia pecado.

Nem os seus pais, pois na Justiça divina os filhos não pagam pelos pais, nem os pais pelos filhos.

O Espírito que animava aquele corpo, o Espírito que nele havia reencarnado — este sim havia pecado antes do nascimento.

"Não há efeito sem causa" — disse Allan Kardec, o insigne codificador do Espiritismo —, "e todo efeito inteligente tem, forçosamente, uma causa inteligente."

E Léon Denis argumenta: "Com a doutrina das preexistências e das reencarnações tudo se liga, se esclarece e compreende: a Justiça divina se patenteia; a harmonia se estabelece no universo e no destino".

É lógico, também, que "as obras de Deus" não se podem manifestar de forma desumana: punição a um cego de nascença!

A não ser que se admita a preexistência da alma.

Negando-a, não há por onde fugir: será uma punição injusta, da qual um indivíduo normal se envergonharia.

"As obras de Deus" se manifestam no cumprimento da Lei.

Lei de Justiça, lei de Amor.

Lei que corrige o pecador, agora ou mais tarde, concedendo-lhe sucessivas moratórias, quantas se façam necessárias.

Tendo ensinado Jesus que a cada um seria dado de acordo com as próprias obras — "lei de causa e efeito" —, não iria ele insinuar a absurda, a inconsequente ideia de que a Lei aplica sanções e corretivos a pessoas sem culpa.

Como o cego de nascença...

"As obras de Deus" se exprimem no amor, que é, também, justiça imanente.

E na justiça — que é também amor.

Aquele homem não havia pecado, mas a sua alma, o seu Espírito, sim, em existências passadas.

"Quem com ferro fere, com ferro será ferido" — ensina a sabedoria popular.

Aquele Espírito, *ali reencarnado,* ferira antes de nascer; ali estava, portanto, inocente na aparência, para resgatar o seu débito, para saldar a sua promissória.

Ali estava, "ferido nos olhos".

Nascera cego...

O débito era antigo, mas nem por isso deixara de existir.

A lei registrara o remoto delito.

A lei cobrava, a seu tempo, o que lhe era devido.

*

Nascer cego ou paralítico, demente ou surdo-mudo, ou com propensão a moléstia grave, ou incurável, que se manifestará mais tarde, é bênção que nem sempre o indivíduo sabe agradecer.

É bênção — porque estará resgatando dívida.

E com amor, porque a Lei é credora compassiva, que permite amortizações parceladas.

É bênção — porque estará sendo reabilitado.

E com amor, porque a própria recordação da dívida não é conservada.

É bênção — porque se estará libertando.

E com amor, porque a libertação lhe conduzirá o Espírito redimido pelos caminhos de luz da Espiritualidade superior.

Diante do cego ou do paralítico, do surdo-mudo ou do psicopata, o homem comum interrogará: "Por que esta criatura nasceu assim?".

A maioria levantará os ombros, na impossibilidade de uma resposta que não ofenda a Magnanimidade divina...

Mas os reencarnacionistas — e entre eles os espíritas, tomando a palavra, responderão, em nome do Evangelho e do Espiritismo: "Esta criatura nasceu assim porque o seu Espírito pecou noutras existências".

A Reencarnação explica, à luz da lógica, o problema dos resgates.

Põe no justo lugar a Justiça divina.

Esclarece o problema dos resgates dolorosos, semelhantes ao do "cego de nascença" da época do Cristo e do nosso tempo.

18
Pobreza

"Sim, ó Pai, porque assim foi do teu agrado."

Uma das mais sublimes funções do Evangelho do Senhor — e do Espiritismo — é a de preparar o homem para que saiba viver com dignidade em quaisquer circunstâncias.

Do Evangelho, do seu tempo até hoje; e do Espiritismo na atualidade, como restaurador dos postulados do Cristianismo.

Na riqueza, ou na pobreza, encontrará o ser humano, nas lições de Jesus e nos ensinos da Codificação, que harmoniosamente se identificam e se completam, os meios de viver, lutar e vencer com hombridade.

Jesus não preconizou a miséria por condição indispensável à vida do homem, do mesmo modo que não indicou a fortuna por meio ideal, exclusivo, de o homem transitar, com êxito, pelos caminhos do mundo.

A missão do Evangelho foi e é a de preparar a humanidade para que ela possa viver dignamente, quer na carência, quer na prosperidade.

O que nos tem faltado, em nossas consecutivas experiências, é o fator "preparação".

Não sabemos comportar-nos, cristãmente, numa ou noutra situação: na riqueza ou na pobreza.

Quando os ventos conduzem o barco de nossa vida aos portos engalanados da fortuna, tornamo-nos egoístas e, por vezes, cruelmente impiedosos ante o sofrimento que se desdobra, ante nós, como se fora sugestão divina, suave e doce convite para que ajudemos aos mais necessitados.

Mas a riqueza, quase sempre, oblitera os sentimentos do homem.

Sufoca-lhe os germens da solidariedade.

Insensibiliza-o de tal modo que, enquanto a bondade vai fugindo, sutilmente, humilhada, por uma das janelas do nosso coração, por uma de suas espaçosas e largas portas vai entrando o egoísmo, via de regra acompanhado do seu dedicado pajem, do seu vigilante companheiro: o orgulho.

E não é só: mais atrás, espreitando, outra comparsa: a prepotência.

Quando o frio da adversidade, por sua vez, nos bate à porta, levando-nos às estações da pobreza, da dificuldade, caímos na paisagem da inconformação.

Confiamo-nos, de imediato, à rebeldia.

Entregamo-nos, levianamente, à revolta.

Substituímos a prece humilde — de ontem, pela blasfêmia irreverente, desrespeitosa.

Recusamos, assim, inconsequentes, uma experiência que, muita vez, poderia representar a manifestação da

Vontade do Senhor, que nos dá segundo *o que necessitamos*, e não segundo o que *almeja a nossa mente*.

*

O que nos falta, portanto, é preparação evangélica.

É Cristianismo em nosso coração e em nossa inteligência, para que saibamos viver na opulência — sem esquecer os deveres de solidariedade; e na pobreza — sem olvidarmos a obediência a Deus e o aspecto, essencialmente educativo, altamente educativo, de semelhante prova.

A pobreza, tanto quanto a riqueza, como expressivos e complexos fenômenos sociológico-espirituais de um mundo desajustado — de um mundo que demonstra ainda não conhecer a Deus —, nada valem em si mesmas, intrinsecamente.

A forma por que nos conduzimos, numa ou noutra experiência, é que falará por nós — acusando-nos ou defendendo-nos — no tocante à destinação espiritual.

O rico generoso, o rico que não repudiou o seu próximo, receberá da Lei, mais cedo ou mais tarde, o que a Lei reserva, igualmente, para o pobre de coração compassivo, de alma misericordiosa.

O afortunado cruel, explorador da necessidade alheia, o rico que se encastelou na torre do egoísmo avassalante, receberá da Lei, em qualquer tempo, o que a Lei reserva para o pobre revoltado, insubmisso e blasfemo.

A Lei é impessoal.

A Lei está na consciência humana e nela estabelece o seu augusto e solene tribunal.

O problema, como podemos ver, é de preparação — exclusivamente de preparação.

Em síntese: de adaptação à LEI DO AMOR, ensinada e vivida por Jesus, e que a interpretação espírita, amena, suave e lógica, veio colocar ao alcance do homem.

Não para que o homem a tenha por moldura, por ornamento exterior, mas para que o homem a utilize, a desfrute, através da união com Deus, do encontro pessoal com Jesus.

Nem o Evangelho preconiza a mendicância, nem o Espiritismo lhe apoia a existência.

Jesus e Kardec, em todos os seus ensinamentos, preconizam um mundo de trabalho e dignidade.

De solidariedade e amor.

Do mais forte ajudando o mais fraco.

Do mais rico colaborando a favor do mais pobre.

Um mundo de moralidade e respeito.

De ordem e progresso.

O Cristianismo e o Espiritismo preconizam uma sociedade em que os pobres saibam e possam conquistar, honestamente, o pão de cada dia, tanto quanto o rico saiba e queira transformar os seus patrimônios, de que, em última análise, é apenas administrador, em oportunidade de trabalho e prosperidade para todos.

É tão infeliz o pobre que se revolta diante da dificuldade, quanto o rico que se compraz, simplesmente, na satisfação do seu exclusivo interesse.

A um e outro reservará a Lei a inevitável consequência: o retorno a novas experiências, para que novas experiências lhes abram, a pobres e ricos desajustados, o entendimento ante a vontade e os desígnios do Administrador Universal — DEUS.

É tão feliz o rico que dá com alegria, e faz da sua fortuna um instrumento de prosperidade e justiça, visando ao progresso e ao engrandecimento da coletividade onde a divina Bondade o situou, quanto o pobre que, na simplicidade de sua vida, no anonimato de suas lutas, compreende e aceita as circunstâncias, por mais penosas e difíceis, que a Paternal Sabedoria lhe reservou.

Quem faz a felicidade do homem é o próprio homem. Ou melhor, o homem através da compreensão do Poder divino — desse Poder que o criou, o vem amparando e o vai conduzindo no rumo da perfeição.

A felicidade não vem de fora para dentro, da periferia para o centro.

A tempestade pode estar rugindo, implacável, lá fora, mas o mundo interior de cada indivíduo pode estar sereno e plácido, como plácida e serena é a superfície de um lago.

Todavia, enquanto zéfiros brandos podem estar entoando, lá fora, a sinfonia da paz, a canção do sossego, dentro do homem podem estar em erupção os vulcões da inveja e do ciúme, da ambição e do ódio, da revolta e do desespero.

O problema, portanto, é de preparação para a luta, segundo os padrões do Evangelho, que a Doutrina Espírita veio estruturar na consciência humana.

Compreender, compreender, compreender — eis a imperiosa, indisfarçável necessidade do ser.

Compreensão, contudo, que resulte menos da cultura vaidosa que, edificada no materialismo e sem o lastro evangélico, tende a agravar as soluções; mas compreensão que decorra do conhecimento espiritual, com base na ética do Cristianismo, que o Espiritismo veio revitalizar — anemizado que estava pela incúria dos homens.

Se o homem deseja, efetivamente, ser feliz, deve, sem embargo do seu trabalho, da sua luta, do seu empenho na sustentação de si mesmo e da sua família, guardar fidelidade à própria consciência.

Utilizar, com nobreza e confiança, a oportunidade que o Pai lhe confiou: na riqueza ou na pobreza.

Na riqueza, tornando-se generoso e bom, dinâmico e progressista.

E dizer: "Sim, ó Pai, porque assim foi do teu agrado".

Na pobreza, tornando-se honesto e digno, correto e sincero na execução de seus deveres.

E dizer: "Sim, ó Pai, porque assim foi do teu agrado".

19
Reencarnação e cultura

"O saber ensoberbece, mas o amor edifica."

A cultura — como todos os dons que felicitam o Espírito no caminho da plenitude evolutiva — desenvolve-se em função das vidas sucessivas.

É uma conquista que a alma realiza no curso de milênios sem conta.

Os gênios do pensamento que transitaram pelo mundo à maneira de inextinguíveis faróis — Confúcio, Sócrates, Leonardo da Vinci, Goethe, Ruy Barbosa, Einstein e outros, foram almas insipientes nos primórdios da sua evolução.

Inteligências primárias, que tatearam, também, nas sombras da mediocridade. Tiveram, enfim, a mesma origem de todos os homens.

O princípio espírita de que todas as almas "foram criadas simples e ignorantes" revela a inexistência de favoritismos e privilégios nas Leis divinas.

Na balança de Deus não há, como ocorre na do homem, dois pesos e duas medidas.

A humanidade tem, obviamente, origem comum. Viaja para o mesmo destino — a perfeição.

Percorre as variadas e múltiplas estações do aprendizado, neste e noutros mundos disseminados pelo universo.

A soma dos valores culturais, como a dos valores morais, representando aquisições que se perdem nas brumas do tempo, faz que despontem, aqui e alhures, ontem e hoje, nas radiosas constelações da Sabedoria, refulgentes estrelas, inconfundíveis por seu brilho ímpar.

A cultura, entretanto, pode ser, muita vez — como a fortuna, a beleza física, o poder —, motivo para a desgraça do homem, quando essa cultura, desprovida de humildade e amor, o conduz, pela presunção, ao detestável vício do narcisismo intelectual.

O homem rico de cultura, mas pobre de bons sentimentos, é um infeliz, embora se julgue um deus.

Cultura sem lastro espiritual significa, em quaisquer circunstâncias, perigo para a alma.

Por isso, o apóstolo, que possuía a sabedoria pelo espírito, advertia, escrevendo aos cristãos de Corinto: *"O saber ensoberbece, mas o amor edifica".*

E, mais adiante, aclarando o seu pensamento: *"Se alguém julga saber alguma coisa, com efeito não aprendeu ainda como convém saber".* (*I Coríntios*, 8:1 e 2.)

A reencarnação é o meio, e a perfeição, o fim.

Deve o homem preparar-se, por ela, no sentido de, realizando-se interiormente, evangelicamente, palmilhar, sem maiores inconvenientes, a senda do conhecimento, aprendendo "como convém saber".

É sempre possível encontrarmos no mundo, reencarnado na condição de idiota incurável, um gênio do passado que abusou do direito de ser inteligente e culto para oprimir e matar.

Nunca se há de encontrar, no entanto, alguém expiando crimes por muito ter amado.

Não é demais lembrar o Mestre, no episódio com a pecadora que lhe ungira os pés: "*Perdoados lhe são os seus muitos pecados, porque muito ela amou*". (*Lucas*, 7:47.)

O homem, simplesmente intelectual, usa a inteligência, aplica o conhecimento e emprega a cultura só e só na satisfação de sua vaidade pessoal.

Para enaltecimento do ego — *Vanitas vanitatum at omnia vanitas!*

O homem evangelizado, que retém os patrimônios da sabedoria — a que "não incha" — sabe que nada possui de seu, pois reconhece, com humildade consciente, que inteligência e cultura são dons celestes que a sua receptividade absorveu na esteira dos milênios.

Nos estudos da fenomenologia mediúnica, no campo do Espiritismo Cristão, podem ser encontrados numerosos exemplos de cientistas que reencarnaram em dolorosas circunstâncias.

Alguns, cegos — sem a bênção da visão física.

Muitos, inutilizados — torturados na epilepsia ou na lepra.

Outros — hidrocéfalos ou idiotas.

Outros, ainda — paralíticos, surdos-mudos...

Centenas deles cruzam, conosco, as ruas do mundo, carregando nas profundezas subconscienciais alucinantes visões, quadros terríveis.

Permanecem atormentados ante o alarido das vítimas do passado, que lhes não perdoaram a perversidade — filha da intelectualidade sem Deus.

Vivem sob o peso das objurgatórias da própria consciência...

*

Aqueles, contudo, que muito amaram no pretérito, podem estar sofrendo no mundo — mas sofrendo por amor.

Nos labores construtivos, na renúncia à vida em gloriosos mundos, continuam na Terra ajudando aos que permanecem nas retaguardas experimentais.

Essas almas se acrescem de sublimados valores.

Contabilizam, na escrita dos céus, ilimitados créditos.

Para os que menosprezaram os bens da inteligência e da cultura, abre-lhes o Espiritismo, com a perspectiva da reencarnação, panoramas de renovamento.

O "nascer de novo", do maravilhoso diálogo de Jesus com Nicodemos; o "nascer da água e do Espírito" (e não o "nascer" apenas simbolizando a renovação espiritual sem o resgate dos crimes cometidos) constitui mensagem de esperança para as almas que choram nos vales sombrios — embora transitórios — dos planos inferiores.

A reencarnação — a chamada "bênção do recomeço" — acena a todos os falidos do caminho, a todos que fracassaram em sucessivos tentames.

Oferta-lhes a certeza de novas existências reparadoras e de aprimoramento.

Oferece-lhes, como se fosse um carinhoso "recado de Deus" aos seus filhos mais infelizes, oportunidade para que voltem ao mundo; — sim, a Reencarnação é um amoroso recado de Deus à humanidade!

Permite-lhes o retorno à ribalta terrestre, para, com atos positivos do Bem, neutralizarem os perniciosos efeitos gerados por atos negativos do Mal — nos desvios da inteligência e na perversa aplicação da cultura não evangelizada.

Quando se fala ou escreve sobre Reencarnação, é imperioso se pense em cultura, porque, sem a repetição de experiências — dezenas, centenas de vezes, os primeiros homens seriam, ainda, uns brutos, uns selvagens.

Como aprenderam?

Com quem aprenderam?

Com o Espiritismo — que prega e difunde o intercâmbio espiritual entre os mundos-moradas do Pai — não é difícil compreendermos como e com quem aprenderam os primeiros homens, os terrícolas.

20
Perdão

"Perdoai as nossas dívidas, assim como perdoamos aos nossos devedores."

A transcendentalidade do perdão pode ser aquilatada por um fato aparentemente simples: a sua inclusão, por Jesus, num dos mais importantes documentos do Evangelho, tal seja o Pai-Nosso.

Bastaria isso, supomos, para que não pusessem dúvidas quanto ao seu valor; sobretudo, quanto à necessidade da sua prática, do seu cultivo sincero.

Inúmeras vezes fez o Mestre referência ao perdão, destacando-o por valioso e indispensável imperativo à evolução humana.

Interpelado por Pedro se devia perdoar "sete vezes", respondeu-lhe que devia perdoar "setenta vezes sete", o que equivale a dizer: perdoar indefinidamente, tantas vezes quantas forem necessárias.

Evidentemente, não tinha Jesus a intenção de fixar, em quatrocentos e noventa vezes, que é o produto da multiplicação "setenta vezes sete", o número de vezes para o seu exercício.

Seria absurdo crer na imperdoabilidade da ofensa número 491...

O que o Mestre quis dizer foi isso: perdoar todas as vezes que formos ofendidos.

Dez ou vinte, cem ou quinhentas, mil ou dez mil, bilhões ou bilhões de bilhões...

Perdoar indefinidamente.

Qualquer pessoa, de mediana compreensão, entenderá isso.

Quando o mesmo Pedro, esquecido do conselho do Cristo, cortou a orelha do servo do sumo sacerdote, no Getsêmani, renovou Ele o ensino do perdão, ordenando: *"Embainha a tua espada, porque quem mata pela espada, pela espada perecerá".* (*Mateus*, 26:47.)

Nessa ocasião, como se vê, não se limitou a ensinar o perdão: explicou-lhe, também, as consequências, segundo a lei de causa e efeito, segundo a Reencarnação.

Quando ensinava o Pai-Nosso aos discípulos, acentuava: *"Se, porém, não perdoardes aos homens, tampouco vosso Pai vos perdoará as ofensas".* (*Mateus*, 6:15.)

Do Pai-Nosso só explicou Jesus o parágrafo referente ao perdão, o que é bem significativo, eis o que lhe mostra a importância.

De outras, em sua caminhada de luz, em seu ministério de bondade, sem referência vocabular, exercitou-o de modo amplo, completo, integral, culminando com o *"Pai, perdoai-lhes, pois não sabem o que fazem"* (*Lucas*, 23:34), na intercessão por seus algozes, na cruz.

Incluindo-o, entretanto, no Pai-Nosso, quis Jesus fazer um legado permanente, definitivo, à humanidade.

Sendo a "oração-modelo" — que encerra louvor, rogativa e reconhecimento — todas as correntes do Cristianismo haveriam de adotá-la.

O que significa dizer: diariamente, aqui e alhures, seria ela recitada por quase toda a humanidade terrestre.

*

O conceito de perdão, segundo o Espiritismo, é idêntico ao do Evangelho, que lhe é fundamento: concessão, indefinida, de oportunidades para que o ofensor se arrependa, o pecador se recomponha, o criminoso se libere do mal e se erga, redimido, para a ascensão luminosa.

Quem perdoa, segundo a concepção espírita cristã, esquece a ofensa. Não conserva ressentimentos. Ajuda o ofensor, muita vez sem que este o saiba.

Não convém ao aprendiz sincero, sob pena de ultraje à própria consciência, adotar um perdão formal, aparente, socialmente hipócrita.

Perdão formal é o que não tem feição evangélica.

Guarda rancor.

Alegra-se com os insucessos do adversário.

Nega-lhe amparo moral e material.

Relativamente às vantagens que decorrem do perdão evangélico — e não do formal, podemos destacar a sua influência, salutar e benéfica, em toda a trajetória evolucional do ser humano.

No curso de toda a eternidade.

No plano físico e no extrafísico.

Na vida presente, na espiritual, nas futuras.

Com relação à vida presente, quem perdoa obtém a graça da consciência tranquila.

Torna-se inacessível ao mal.

Dá impulso evolutivo à própria alma.

Avança, afinal, na senda do aperfeiçoamento.

No tocante à vida do Espaço, depois da morte física, o perdão assegura a descontinuidade do mal.

Evita, assim, obsessões terríveis nas regiões inferiores.

Simbioses psíquicas, dramas pavorosos no Espaço inferior, onde almas torturadas se digladiam durante anos ou séculos.

Quanto às vidas futuras, o ato sincero do perdão, hoje, tem a faculdade de possibilitar, amanhã, reencarnações felizes, liberadas de compromissos escuros.

Amar o ofensor, reconhecemos, nem sempre é fácil; mas perdoar-lhe a ofensa, compreendendo-lhe a ignorância e a desventura — e não a maldade, é menos difícil.

A referência ao perdão no Pai-Nosso, oração de todos os dias — "oração de cabeceira" — como que revela o objetivo, generoso e compassivo, de nosso Senhor, no sentido de, cotidianamente, forçar-nos a proferir a sublime palavra: PERDÃO.

E, como os nossos instrutores espirituais nos avisam que "a disciplina antecede à espontaneidade", o contato verbal com o perdão — *"Perdoai as nossas dívidas, assim como perdoamos aos nossos devedores"* (*Mateus*, 6:12) — dar-nos-á, por certo, recursos para que o pratiquemos com benevolência e amor.

21
Reencarnação e progresso

"Nenhuma das ovelhas que o Pai me confiou se perderá."

O problema das aptidões intelectuais é bem significativo, no estudo da reencarnação, e sugere apreciações interessantes quando observado à luz das diversas doutrinas religiosas ou filosóficas.

As religiões que ensinam ter a criatura humana apenas uma existência, ou seja, as que preconizam a criação da alma no momento da formação do corpo, teriam, sem dúvida, bastante dificuldade em explicar, entre outras, a palpitante questão do conhecimento e da sabedoria, da erudição e do talento inatos.

Dificilmente se pode compreender como uma pessoa, numa existência de apenas algumas dezenas de anos, possa revelar privilegiada inteligência e sabedoria, como frequentemente ocorre, sabendo-se que, sendo tão vastos os ramos dos conhecimentos humanos, impossível seria a um homem acumular tanto em tão curto prazo.

"Uma encarnação é como um dia de trabalho" — afirma, acertadamente, um amigo espiritual.

Daí a nossa dificuldade em compreender como pode um homem realizar vastas e apreciáveis conquistas intelectuais, nos mais variados campos do saber, num período de seis, sete ou mesmo oito dezenas de anos.

E essa dificuldade aumentaria, mais, se catalogássemos os homens que, em idênticos períodos, nada ou quase nada aprenderam nos templos do saber, apesar do esforço despendido.

Ficamos, assim, numa expectante e dolorosa alternativa: ou Deus, supremo Criador de todas as coisas, é parcial e injusto, porque cria e põe no mundo sábios e ignorantes, quando a todos os seus filhos deveria dar, como o fazem os mais imperfeitos pais terrenos, as mesmas possibilidades, ou seremos inevitavelmente levados a aceitar a tese das religiões reencarnacionistas: cada existência representa um elo de imensa cadeia de sucessivas vidas, durante as quais o Espírito aprende e cresce, evolui e se enriquece de valores novos e consecutivos.

O Espiritismo é reencarnacionista; como tal, ensina a doutrina das existências múltiplas, das vidas que se renovam, como o faz a maioria das doutrinas antigas.

O conjunto dos ensinamentos espíritas gira em torno do seguinte enunciado filosófico: "Nascer, morrer, renascer ainda e progredir sempre — tal é a Lei".

O Espiritismo fixou nessa admirável sentença a sua estrutura doutrinária, fornecendo uma chave de luz para intrincados problemas que têm desafiado a argúcia, a cultura e o talento de inúmeros pensadores, em todas as épocas da humanidade.

A reencarnação nos faz compreender a Deus por suprema Inteligência e suprema Justiça.

Faz-nos compreendê-lo por Infinita Perfeição e Infinita Misericórdia.

Deus nos é mostrado, por meio da reencarnação, justo e bom, criando almas simples e ignorantes, a fim de que, pelo esforço próprio, ascendam todas aos pináculos evolutivos, no rumo da perfeição com Jesus.

Aceitando a reencarnação, não temos dificuldade em compreender a promessa do Mestre: *"Nenhuma das ovelhas que o Pai me confiou se perderá"*.

À luz da reencarnação, o que era nebuloso se tornou límpido.

A interpretação do Evangelho se tornou menos difícil.

Mais compreensível se tornou o pensamento de Jesus.

O que era confuso e indecifrável passou a refletir, espontânea e naturalmente, a meridiana claridade do bom senso e da lógica.

A explicação palingenésica leva-nos, afinal, a melhor compreendermos por que existem sábios e ignorantes no mundo, cruzando as mesmas ruas, sofrendo as mesmas dores, respirando o mesmo oxigênio, sem que sejamos, dolorosa e tristemente, compelidos a aceitá-lo como um Pai que usa, com os seus filhos, dois pesos e duas medidas.

A cultura, o conhecimento, o progresso, enfim, decorrem desse maravilhoso encadeamento de existências, durante as quais a alma adquiriu e armazenou valiosos patrimônios intelectuais.

Sem a tese reencarnacionista, a explicação do progresso das humanidades permanece incompleta, ou, pelo menos, incompreensível.

O observador imparcial, o historiador sensato e o homem desprovido de preconceito hão de estar conosco nessa afirmativa.

22
Vigilância

"Cingidos estejam vossos corpos e acesas as vossas candeias."

As condições em que despertaremos, na Espiritualidade, após a morte corporal, dependem, efetiva e indisfarçavelmente, do nosso estado evolutivo.

Do rumo que tivermos imprimido aos nossos passos.

Do esforço evangélico empreendido.

Da maneira como tivermos sabido valorizar o tempo.

O Espiritismo tece, sobre este assunto, oportunas e valiosas considerações, aclarando, assim, o pensamento do Mestre.

A situação do homem, após a desencarnação, suscita o interesse para os primeiros instantes de vida na esfera subjetiva!

O acordamento, em si mesmo, como fenômeno insólito, estranho, surpreendente, inesperado.

A recuperação gradual da memória, no perispírito, com a consequente lembrança dos fatos que nos poderão dar paz ou desassossego.

O reencontro com amigos e adversários, em planos determinados pelo nosso peso específico.

A resposta da Lei à nossa vigilância na fraternidade ou à nossa insensatez ante a grandeza da vida, mediante indefiníveis júbilos ou insuportáveis tormentos.

O conhecimento, espontâneo ou compulsório, segundo as circunstâncias e necessidades educativas, de outras existências, assinalando, nos quadros da memória supranormal, reminiscências suaves e doces, ou dolorosas e amargas.

O grau, a natureza, a duração de nossos retrospectos mentais.

Tudo isso, expressando a realidade imanente, condicionar-se-á aos próprios valores morais e espirituais de quem parte no rumo da Eternidade...

Resultará do plantio que tivermos feito, pois colheremos o que semearmos.

Representará a indefectível reação da Lei às nossas atitudes, palavras e pensamentos na vida terrena, onde, há cerca de dois milênios, vimos caminhando sob a luz do Evangelho da Redenção.

Tudo isso — repetimos — dependerá da maior ou menor firmeza com que nos tivermos conduzido no mundo.

A palavra de ordem, portanto, enquanto estamos no plano físico, deve ser: vigilância, vigilância, vigilância...

Evidentemente, o Mestre não pede santificação da noite para o dia.

Ninguém adormece pecador para despertar angelizado.

É possível ao homem, porém, deitar-se vazio de ideias nobilitantes, escravo da preguiça e da incerteza, descrente e amorfo, e levantar-se, na manhã seguinte, renovado e feliz, desejoso de trocar o encardido vestuário da indolência e da irresponsabilidade pela túnica singela, mas bem cuidada, do servidor operoso.

A santificação, de fato, exige muito; mas a boa vontade custa menos.

Há um ditado, bem conhecido, que assegura: "A noite é boa conselheira".

Contudo, aqueles que o divulgam ignoram, em sua maioria, a substância, a essência do enunciado popular.

O Espiritismo faz luz sobre o assunto. Explica que, ao adormecermos, o nosso Espírito, parcialmente liberto, reúne-se, em certas ocasiões, a entidades amigas e generosas que lhe transmitem sábios conselhos, preciosas advertências, sugestões benevolentes que nos fazem despertar mais felizes, mais esperançosos, mais lúcidos, mais inspirados na solução dos problemas da vida.

No jogo das aparências, em que se comprazem os homens, de fato é a noite "boa conselheira".

Na realidade, porém, excelentes companheiros — carinhosos instrutores espirituais — é que nos esperam, durante o repouso físico, para traçarem valiosas diretrizes que possibilitem o equacionamento de complexas questões de nossa experiência evolutiva.

Urge, pois, exerçamos a vigilância.

Preservemos a saúde do corpo e a harmonia do Espírito.

Santifiquemos os olhos diante do mal.

Eduquemos o ouvido.

Controlemos a língua.

Imprimamos direção evangélica aos nossos passos.

Evitemos animosidades — monstros que se prolongam além da vida física.

Absorvamos, enfim, o perfume que se evola das eternas lições que o divino Amigo nos legou, cingindo nossos corpos e acendendo as nossas candeias.

*

Enquanto no mundo, é possível refletir com segurança e agir com relativo equilíbrio.

No entanto, após o desenlace corporal, quando se patenteiam e se evidenciam os nódulos espirituais e os desajustes psíquicos, o problema da segurança e do equilíbrio se torna menos fácil.

Sem o refúgio do vaso físico, a preservá-la do assédio das sombras, a alma que se não movimentou no bem se recomporá com mais dificuldade.

Imprevisível é a hora da grande transição.

Compete-nos, destarte, permanecer na vigilância, na identificação com o reino de Deus e sua justiça, a fim de que *partida* e *chegada* não sejam ocorrências dolorosas.

Especialmente a *chegada*.

Viver no bem — aprendendo e servindo, amando e perdoando — para que o adormecer seja suave, e o despertar sublime.

Cinjamo-nos, pois, com a túnica da benevolência e do perdão incondicional, para que a candeia da fé e do conhecimento superior ilumine nossos passos, além da morte, assegurando-nos, assim, a alegria que se não extingue.

E a felicidade que se não acaba...

23
Jesus e Deus (I)

"Meu Pai e eu somos um."

Aqueles que afirmam, ou pelo menos creem que Jesus e Deus são a mesma entidade, louvam-se, sem dúvida, nas seguintes palavras do Mestre: *"Meu Pai e eu somos um"*. (*João*, 10:30.)

Baseando-nos, contudo, nessas palavras para cultivarmos a crença de que Jesus é o próprio Deus, seremos, forçosa e inevitavelmente, compelidos a também igualar o Mestre aos discípulos, o Cristo aos apóstolos, pois no *Evangelho de João*, 14:20, está escrito: *"...estou em meu Pai e vós em mim e eu em vós"*.

Não há alternativa.

Não há diferença entre as duas frases: "Meu Pai está em mim e eu nele", com que se refere Jesus a Deus, e a outra: "Vós (estais) em mim e Eu em vós", com que o mesmo Jesus se reporta aos discípulos.

De fato Jesus sempre esteve com Deus. E Deus, por sua vez, sempre esteve com Jesus.

A vontade de um sempre foi a do outro.

São *um pelo pensamento* — uma vez que tudo quanto o Cristo realizava e realiza ainda é sob a inspiração direta de Deus.

A alma puríssima de Jesus é o cristalino espelho em que a vontade do Senhor dos mundos se reflete soberana e misericordiosa.

Deus é o Pai, Jesus é o Filho.

Deus é o soberano Universal, Causa Primária de todas as coisas, Inteligência suprema do universo, como o define o Espiritismo.

Jesus é o seu Embaixador na Terra.

Deus criou o universo, que é a soma, a reunião, o conjunto de todos os mundos, galáxias, constelações, sistemas planetários.

Jesus, seu enviado, presidiu a formação do orbe terrestre, daí ter afirmado: "Sou o princípio de todas as coisas, Eu que vos falo".

E nós acrescentamos, em nome das luzes da Doutrina Espírita: de todas as coisas terrestres.

Diz Emmanuel que o Cristo *organizou o cenário da vida, criando, sob as vistas de Deus, o indispensável à existência dos seres do porvir.*

*

Em todas as suas referências, Jesus sempre esclarece que não é Deus.

Que não é onipotente.

Que a sua vontade está condicionada à do Pai.

Em comovedora, sublime e constante demonstração de obediência e compreensão filiais, põe sempre acima do seu o poder de Deus.

Embaixador Celeste, nada fez em discordância com a vontade do Pai, que o enviou, em missão apostolar, ao globo terrestre.

A sabedoria e o amor do Pai, que o fez descer das infinitas regiões de luz para as sombras do mundo, estiveram sempre com o Filho. Nos pensamentos, nas palavras, nas atitudes.

Eram e são, por conseguinte, *um pelo pensamento*, um pelo coração, um pela inteligência.

Tanto quanto os discípulos, tocados pelo ideal evangélico — de que era Jesus a personificação na Terra —, eram também *um com o Mestre*.

Os discípulos estavam com Jesus, quanto Jesus estava com os discípulos.

Nada mais claro.

Nem mais lógico.

Nem mais simples.

Quando um embaixador, um ministro, um cônsul, afinal, segue invariavelmente a orientação do governo que representa, embora representante e governo sejam pessoas distintas, são *um pelo pensamento*, porque um executa fielmente a vontade do outro.

Não houve até hoje, na Terra, quem representasse com tamanha fidelidade o pensamento do seu representado, como Jesus o fez com relação a Deus.

Basta meditar sobre isto: Deus é amor, Jesus é amor.

Deus governa o universo, de que a Terra é minúsculo departamento. Jesus é o mandatário do Pai neste mundo. Mas são *um pelo pensamento*.

24
Jesus e Deus (II)

"Meu Pai, nas tuas mãos entrego a minha alma."

Vai o Espiritismo ganhando terreno não só no coração, mas também na consciência da humanidade, em virtude da lógica de sua doutrina e da clareza com que estuda e elucida os problemas da evolução espiritual.

E como os explica com simplicidade, a cada dia mais se veem os seus adeptos defrontados com variadas interpelações, das mais simples às mais complicadas.

Percebe-se, no homem moderno, a ânsia do conhecimento.

E como quem está sequioso procura, naturalmente, dessedentar-se, vem-se o Espiritismo constituindo, sob os clarões do Evangelho, a fonte generosa que a todos ampara, na sublime missão de servir.

Inegavelmente vem sendo a Doutrina Espírita o poço de Jacó da atualidade. Localizado à margem do caminho, fornece aos viajores a preciosa linfa do esclarecimento e da consolação.

Assim sendo, cresce a responsabilidade dos que lhe abraçam os ideais renovadores; eis que se tornam alvo de expressivas indagações, inclusive das que se referem à personalidade de Jesus, que, no parecer de muita gente, é o próprio Deus.

Embora dispensando o maior apreço à opinião dos que pensam, aceitam e difundem a ideia de que Jesus e Deus são a mesma entidade, somos compelidos a abordar, com sincera genuflexão, o delicado e transcendente problema.

Coloquemos, todavia, à guisa de moldura, as próprias palavras do Mestre.

Folheemos, pois, muito respeitosamente, o Evangelho do Senhor — repositório de suas lições, relicário de suas palavras.

Deixemos que os próprios ensinos do Cristo de Deus façam luz sobre o assunto, equacionem o problema que tanto tem aguçado a curiosidade dos homens.

As passagens que alinharemos a seguir foram extraídas do Novo Testamento.

Todas elas se reportam, com absoluta clareza, ao assunto em estudo, deixando, pelo menos a nós, espíritas, a convicção de que Jesus é um, e Deus é outro.

Um — é o Pai; outro — é o Filho.

Deus — o Criador do universo.

Jesus — o Governador Espiritual da Terra.

O primeiro — Outorgante.

O segundo — Outorgado.

Reflitamos, pois.

"*A palavra que ouvistes não é minha, mas* do Pai que me enviou." (*João*, 14:24.)

"*Por que me chamais bom? Não há bom senão um só*, que é Deus." (*Mateus*, 19:17; *Marcos*, 10:18; *Lucas*, 18:19.)

"*...eu desci do Céu, não para fazer* a minha vontade, *mas a vontade daquele* que me enviou." (*João*, 6:38.)

"*Assim procedo para que o mundo saiba que* eu amo o Pai *e faço como* o Pai me ordenou." (*João*, 14:31.)

"*Quem quer que me recebe, recebe aquele* que me enviou." (*Lucas*, 9:48.)

"*...agora procurais dar-me a morte, a mim que vos tenho dito a verdade que* aprendi de Deus." (*João*, 8:40.)

"*Ainda estou convosco por um pouco de tempo e vou em seguida para aquele* que me enviou." (*João*, 7:33.)

"E eu rogarei ao Pai, *e ele vos dará outro Consolador a fim de que esteja para sempre convosco.*" (*João*, 14:16.)

"*Se me amásseis, alegrar-vos-íeis de que* eu vá para o Pai, *pois o Pai* é maior do que eu." (*João*, 14:28.)

"*Meu Pai, se for possível,* afasta de mim *este cálice.*" (*Mateus*, 26:39.)

Mais adiante, no versículo 42, continua a sublime e incompreendida conversação com Deus: "*Meu Pai, se não é possível* passar de mim este cálice, *sem que eu o beba,* faça-se a tua vontade".

Mais adiante, ainda, o incisivo, admirável, incontroverso apontamento de Lucas (23:46): "*Meu Pai, nas tuas mãos* entrego a minha alma".

*

Jesus declara que a palavra ouvida não foi sua, mas do Pai.

Que Ele não é bom, mas Deus o é.

Que não desceu do Céu para fazer a sua vontade, mas a daquele que o enviou.

Que ama o Pai.

Que quem o recebe, recebe aquele que o enviou.

Que aprendeu a verdade de Deus.

Que vai para junto daquele que o enviou.

Que rogará ao Pai, e Ele nos dará outro Consolador.

Que, se o amássemos, alegrar-nos-íamos de que fosse para o Pai.

Que o Pai é maior do que Ele.

Pede que o cálice seja afastado dele, se possível.

Que, se não for possível, se faça a vontade do Pai.

Entrega, afinal, nas mãos de Deus o seu Espírito, a sua alma.

25
Jesus e Deus (III)

"...herdeiros de Deus e coerdeiros de Jesus Cristo."

No exame do problema da identidade de Jesus com Deus, do Filho com o Pai, é justo e conveniente auscultemos, também, a opinião dos apóstolos.

Precisamos conhecer o pensamento, o testemunho daqueles que foram vasos escolhidos para o ministério evangélico.

Diz Allan Kardec, com a prudência e sensatez que lhe caracterizavam o Espírito (*Obras póstumas*, "Estudo sobre a natureza do Cristo", item VI — Opinião dos Apóstolos):

> De todas essas opiniões, as de maior valor são, incontestavelmente, as dos apóstolos, uma vez que estes o assistiram em sua missão e uma vez também que, se Ele lhes houvesse dado instruções secretas, respeito à sua natureza, alguns traços dessas instruções se descobririam nos escritos deles. Tendo vivido na sua intimidade, melhor do que ninguém haviam eles de conhecê-lo.

Ouçamos a palavra de Pedro, o velho Barjonas, que assistiu Jesus desde a primeira hora.

"*O Deus de nossos pais* ressuscitou a Jesus, *que vós fizestes morrer, pendurando-o no madeiro.*" (*Atos*, 5:30.)

"*Varões israelitas, atendei a estas palavras: Jesus, o Nazareno, varão* aprovado por Deus *diante de vós...*" (*Atos*, 2:22.)

"*A este Jesus*, Deus ressuscitou, *do que todos nós somos testemunhas.*" (*Atos*, 2:32.)

"*Que, pois, toda a Casa de Israel saiba, com absoluta certeza, que* Deus fez Senhor e Cristo a esse Jesus *que vós crucificastes.*" (*Atos*, 2:36.)

"*Foi por vós, primeiramente, que Deus suscitou seu Filho* e vo-lo enviou *para vos abençoar, a fim de que cada um se convertesse da sua má vida.*" (*Atos*, 3:26.)

*

Ouçamos, agora, a Paulo de Tarso, o erudito e sublimado Doutor dos Gentios.

Paulo de Tarso — o ardoroso discípulo de Gamaliel e seu presumível substituto no Sinédrio.

Conheçamos, também, o vigoroso e inspirado pensamento do notável bandeirante do Evangelho do Reino, "cujos escritos prepararam os primeiros formulários da religião cristã".

"*Se o confessais de boca que Jesus Cristo é o Senhor e se credes que* Deus o ressuscitou *dentre os mortos, sereis salvos.*" (*Romanos*, 10:9.)

"Porque se nós, quando inimigos fomos reconciliados com Deus mediante a morte do seu Filho, muito mais, estando já reconciliados, seremos salvos pela sua vida." (*Romanos*, 5:10.)

"Deus, em sua bondade, tendo querido que Ele morresse por todos — *por ser Ele bem digno de Deus..."* (*Hebreus*, 2:9.)

"Se somos filhos, somos também herdeiros, herdeiros de Deus e coerdeiros de Jesus Cristo." (*Romanos*, 8:17.)

*

Como se vê, assimilando o pensamento de Jesus, os apóstolos dão testemunho sobre a personalidade do Mestre.

Dezenas de passagens semelhantes poderiam ser alinhadas, sem qualquer dificuldade, todas elas estabelecendo clara distinção entre Deus e Jesus, entre o Pai e o Filho.

Depois do pronunciamento do próprio Cristo, inegavelmente as opiniões mais abalizadas são as dos apóstolos, uma vez que participaram da vida de Jesus, em todos os instantes da sua atividade pública.

Privaram da intimidade do Senhor.

Recebiam-lhe, diretamente dos lábios, os ensinos e as instruções.

Ouviam-lhe, diuturnamente, as lições de eterna beleza e de eterna sabedoria.

Acatar-lhes, pois, o pensamento constitui homenagem viva de nossas almas àqueles homens pelo próprio

Mestre escolhidos, e pré-escolhidos, para o ministério evangélico.

Se a palavra de Jesus e as opiniões dos apóstolos nos merecem fé, não tenhamos dúvida em afirmar que Deus é um, e Jesus é outro.

Deus — é o Pai.

Jesus — é o Filho.

E nós, os humanos, somos os irmãos de Jesus.

Herdeiros de Deus.

Coerdeiros de Jesus.

26
Reconciliação

"Os meus discípulos serão conhecidos por muito se amarem."

Relativamente à vida presente, a reconciliação com os adversários proporciona uma série de inapreciáveis benefícios.

Paz na consciência — o maior tesouro que o homem pode desejar no mundo.

Ausência de inquietações e remorsos — patrimônio que ajuda na aquisição do equilíbrio interior.

Sono tranquilo — assegurando bem-estar espiritual enquanto o corpo descansa.

Despertar sereno — premiando o coração que se enriqueceu de experiências novas, no contato com benfeitores desencarnados.

Construção de preciosas amizades, nesta e na vida extrafísica — o que é fundamental para todos nós, especialmente os imortalistas-reencarnacionistas.

A inimizade é uma brasa no coração humano. Queima, fere, abre chagas profundas. Faz sangrar por muito tempo.

Quando nos dispusermos a compreender e seguir o conselho do Mestre — *"Os meus discípulos serão conhecidos por muito se amarem"* (*João*, 13:35) —, nossos corações inundar-se-ão de um júbilo diferente.

De um júbilo sublime, que nenhum tesouro do mundo pode substituir ou compensar.

Feliz a criatura que diariamente, após honesto exame de consciência, pode dizer:

"A minha alma está virgem de ressentimentos! Não sinto, dentro de mim, nem ódio, nem rancor, nem desejos de vingança!

Não tenho inimigos! A todos estimo, a todos prezo, a todos desejo o bem!

Podem existir criaturas que não me compreendam as atitudes, o idealismo, mas eu as compreendo!".

Como se vê, a Reencarnação, fazendo luz sobre a palavra evangélica, é, realmente, benéfica e construtiva.

Favorece a extinção não só dos antagonismos do pretérito, em geral promovidos por nós mesmos, como também ajuda a dissolver as inimizades que a nossa invigilância forjou no presente.

Com vistas ao amanhã, a confraternização com os adversários, em outras palavras, a reconciliação com os inimigos, aconselhada por Jesus, apresenta vantagens, de natureza espiritual, imprescindíveis ao nosso progresso.

Assegura-nos, hoje, aquela euforia que nos dará, amanhã, em definitivo, a verdadeira felicidade.

A maioria das obsessões resulta de ódios que se fixaram, no tempo e no espaço, na poeira dos séculos e milênios, pela incapacidade do perdão recíproco.

Conhecemos casos de vingança que atravessaram a noite dos tempos, desceram ao abismo dos milênios, levando hoje à alucinação e à delinquência almas que praticaram ou se acumpliciaram em crimes hediondos...

A estima fraternal garante, para o porvir de nossas lutas evolutivas, reencarnações liberadas de penosos compromissos e dolorosas consequências.

O desatamento de laços hostis, ou, simplesmente, antipáticos, que muita vez distanciam companheiros de jornada, abre aos nossos Espíritos sublimes oportunidades de *construirmos*, em vez de apenas *reconstruirmos*.

Tais considerações, formuladas à base do raciocínio palingenésico, demonstram a sabedoria de Jesus, quando afirmou que o Espírito de Verdade restauraria os seus ensinamentos.

Quanta lógica e quanto bom senso!

Quanta claridade nos conceitos evangélicos, se interpretados à luz do Espiritismo!

O nosso coração se enriquece, a nossa alma se torna feliz, a nossa consciência se ilumina, por havermos aceito esta fortuna, este patrimônio inavaliável que o Cristo de Deus, através da personalidade missionária de Allan Kardec, legou à humanidade planetária.

Reconciliemo-nos, pois, com os adversários, de ontem e de hoje, se os tivermos, na certeza inabalável de que o perdão irrestrito, com o esquecimento de toda falta, abrir-nos-á a porta que nos introduzirá, mais tarde, no Santuário de Luz da Vida Infinita.

E não esqueçamos, a benefício da nossa própria felicidade, agora e sempre, a suave advertência de nosso Senhor Jesus Cristo: *"Os meus discípulos serão conhecidos por muito se amarem".*

27
O Cristo vitorioso

"Estava ali um homem, enfermo havia trinta e oito anos."

Havia em Jerusalém o tanque chamado Betesda, que, periodicamente, adquiria propriedades curativas, depois que um anjo — ou Espírito superior — descia e lhe agitava as águas, magnetizando-as.

Quem entrasse primeiro, uma vez agitadas as águas, ficava curado de qualquer doença.

Era natural, e bem humano, que ali se reunisse uma multidão de enfermos, esperando o momento exato em que o celeste Mensageiro deveria agitar o tanque, em nome das forças do bem.

Bem humana, também, era a disputa que se verificava, um procurando antecipar-se ao outro, pois, como era notório, quem primeiro entrasse ficaria curado.

Entre os doentes, naquele dia, encontrava-se um homem acometido de paralisia havia 38 anos.

Um paralítico no meio de dezenas de paralíticos.

Jesus passava na direção do Templo, para as festividades israelitas.

Vendo aquele homem no auge da ansiedade, perguntou-lhe: "Queres ser curado?".

E, ante a melancólica explicação do paralítico, de que não podia caminhar, diz-lhe o Mestre: "*Levanta-te, toma o teu leito e anda*". (*João*, 5:8.)

O episódio sugere inúmeras considerações.

É de se notar, em princípio, a espontaneidade de Jesus, no interesse por aquele enfermo, cuja atitude não foi igual à de outras personagens beneficiadas pelo Senhor.

Bartimeu, por exemplo, o conhecido "cego de Jericó", atraiu a atenção de Jesus com tremendo alarido: — "*Filho de Davi, tem misericórdia de mim*" (*Lucas*, 18:38) — insistindo de tal modo que muitos o repreendiam.

E o divino Amigo, compadecendo-se, restituiu-lhe a visão corporal.

De outra vez, um homem coberto de chagas prostrou-se-lhe aos pés, suplicando: "*Senhor, se quiseres, podes purificar-me!*" (*Lucas*, 5:12.)

A mulher siro-fenícia, cuja filha fora tomada por um Espírito obsessor, pediu tanto a Jesus que a curasse, que os discípulos, irritados, rogavam ao Mestre: "*Despede-a, pois vem chorando atrás de nós*". (*Mateus*, 15:23.)

Mas Jesus, exaltando-lhe a fé, atendeu-a.

*

Com o paralítico do tanque das ovelhas, tudo se passou diferentemente.

Ele não reconhecera a Jesus.

Não lhe pedira que o curasse.

Não sabia que o Mestre por ali andava.

O que desejava — isto sim — era dar o mergulho salvador em primeiro lugar.

Ignorava que o Cristo podia curá-lo com um simples pensamento, com uma simples vibração, com um simples impulso de sua vontade.

Era paralítico e ninguém o conduzia ao tanque — eis a sua resposta, franca e sincera, ao ser interrogado por Jesus.

Por suas palavras, depreende-se que desejava apenas ajuda física: "Senhor, não tenho quem me ponha no tanque, quando a água é agitada; pois, enquanto eu vou, desce outro antes de mim".

Houve, então, o gesto sublime, espontâneo, generoso, fraternal, divino...

"Levanta-te, toma o teu leito e anda."

*

O amor de Jesus transcende fronteiras. Abrange o universo.

Limitado em suas expressões de fraternidade, pretende o homem, quase sempre, bitolar, medir, estereotipar o amor do Cristo, enclausurar-lhe a misericórdia.

Esquecido do
"Tende por Templo — o universo
Por imagem — Deus

Por Lei — a caridade

Por altar — a consciência."

Situa-o, muita vez, entre as quatro paredes de uma igreja, de uma casa.

O fenômeno, contudo, é compreensivelmente humano e humanamente compreensível.

A irradiação do amor de Jesus envolve todos os seres que evolucionam nos círculos planetários e interplanetários.

A não compreensão da excelsitude, da grandeza do Cristo reflete um grau evolutivo.

Traduz "uma visão".

Onde pulse um coração sincero — aí está Jesus, estendendo braços amigos, mãos generosas, como o fez com o doente do tanque.

Mesmo que esse coração ainda gravite noutros rumos evolutivos, polarizado por outras atrações — far-se-á Jesus presente, embora nem sempre possa ser percebido.

O que importa ao Cristo é curar, salvar, educar.

Restituir ao homem do mundo o que o homem do mundo perdeu: o endereço de Deus.

*

O paralítico de 38 anos simboliza o homem de boa vontade.

O homem que levou até o fim a sua cruz.

O homem anônimo, cuja alma valorosa se esconde, muitas vezes, num corpo imobilizado.

Retrata a multidão de aflitos que o mundo não conhece, mas que o percuciente olhar de Jesus alcança, cheio de amor.

O interesse do Mestre, restituindo-o à dinâmica da vida, representa confortadora retribuição a quantos perlustram, com dignidade, os caminhos da Terra, arrostando dificuldades.

A cura do paralítico demonstra que a administração do mundo está, acima de tudo, com o supremo Poder.

Revela que, dando a cada um segundo as suas obras, milhares de almas retomam a carruagem física, em processos de reajuste e aperfeiçoamento.

É que o Cristo permanece, vitorioso, no leme da embarcação terrestre, desde os primórdios da vida planetária, apascentando, com inexcedível ternura, as ovelhas que o Pai lhe confiou.

28
Ante o futuro

"Nos últimos dias sobrevirão tempos difíceis."

O mundo contemporâneo vive uma fase das mais periclitantes, confirmando, assim, a palavra inspirada do enérgico Apóstolo da gentilidade, na sua carta a Timóteo.

O clima apreensivo em que se debate a humanidade confirma, de forma clara e insuspeita, o asserto paulino.

Nuvens sombrias, prenunciadoras de violentos temporais, desfilam no espaço infinito.

Nos profundos oceanos da vida, agitadas procelas indicam a subversão dos valores morais, em que se assentam a virtude e o bem, avassalados, a cada instante, no impetuoso turbilhão das torrentes do mal.

As paixões humanas, os entrechoques de ideias e a impetuosa avalanche do egoísmo tendem a mudar a *facies* planetária.

Todas essas forças espalham, nesta fase de transições, as sementes da desconfiança e do rancor, da ambição e das vinditas seculares.

Por toda parte, evolam-se clamores para o Alto...

De um lado — a prece sincera daqueles que, neste momento decisivo da História humana, recordam, envolvidos em sublimes eflúvios de esperança e amor, a mensagem de paz trazida à Terra e legada aos homens pelo admirável pastor galileu — Jesus, o Cristo de Deus.

Do outro — a angústia dos que desconhecem a lei de causa e efeito, que rege, justa e sabiamente, os destinos das humanidades, a estrutura moral, social e cultural das civilizações.

O homem contemporâneo, inacessível, em sua esmagadora maioria, às eternas verdades, pousa placidamente o olhar entristecido sobre os longos caminhos da vida, e vê somente o que lhe permite o seu limitado poder visual: o sombrio espetáculo de sombrias paisagens.

Interroga, então, o espaço imensurável...

Mas o "pisca-pisca" das estrelas não dá resposta às suas conjeturas e indagações atribuladas.

O lençol alvinitente da Via Láctea, pontilhado de milhões e milhões de astros, representa, todavia, uma fagulha de suave e doce esperança, como se fora o olhar divino envolvendo a Terra inteira.

*

Nas noites de plenilúnio, quando a alma dos seres e das coisas vibra ante o sublime convite à meditação e à prece fervorosa, o coração da humanidade repleta-se de esperança.

No cenário deslumbrante da natureza adormecida e embalada pelos reflexos do luar, sente o homem, no mais profundo do seu Espírito, a realidade grandiosa, incomparável, da presença divina.

O universo em silêncio é todo um poema de exaltação ao Criador.

Na exuberância magnífica do seu poder e justiça, sabedoria e amor, o sublime Arquiteto faz sentir, através da sua portentosa obra, o inesgotável carinho pelos que lutam e sofrem, trabalham e se aperfeiçoam na forja dos avatares purificadores.

A mente humana, porém, esquiva como a própria Lua, vacila e estremece em face das manchas que, de espaço a espaço, envolvem a superfície terrestre, em alternativas de luz e sombra.

O homem moderno pensa e medita...

E, meditando e pensando, emaranha-se no abismo das cogitações filosóficas e religiosas.

E nesse labirinto especulativo, onde a ausência do Cristo gerou dogmas e preconceitos, começa, inelutavelmente, a descrer de tudo, a desconfiar de todos.

Nos resplandecentes sólios da Espiritualidade, o Mestre, todavia, ante o futuro, ora e trabalha.

A sua meta é a felicidade humana.

Aqui embaixo, na Terra, religiões centenárias e milenárias, infensas ao processo evolutivo da Vida, em todas as suas manifestações, agrilhoadas a perecíveis dogmas de fé, respondem, sem dúvida, por essa tendência cética que se vai infiltrando na consciência dos homens, especialmente dos homens que estudam e meditam, analisam e observam.

A velha teoria do crer por ouvir dizer está, evidentemente, fora das cogitações do homem moderno.

29
Mocidade e evolução

"Quanto aos moços, de igual modo, exorta-os para que, em todas as coisas, sejam criteriosos."

Delineamos, anteriormente, o clima de incertezas em que vivemos, reafirmando, assim, a Terra, a sua humilde condição de orbe expiatório e regenerativo.

De mundo atrasado, onde almas falidas resgatam velhas promissórias, acrescidas, via de regra, de pesados juros.

O desajuste universal; o clima saturado de vibrações inferiores; a tendência ao negativismo; tudo isso aí se encontra, iludível e concreto, convocando os homens de boa vontade para as alegrias da tarefa nobre, do serviço edificante.

Façamos, pois, de Jesus, o depositário infalível de nossas esperanças, o guia real da humanidade, o orientador por excelência.

Paulo de Tarso, escrevendo a Tito, orienta-o no sentido da preparação dos moços para as tarefas do Evangelho, estimulando-os à conduta criteriosa "em todas as coisas".

Para as criaturas experimentadas nos infatigáveis labores de uma existência digna, e, de modo particular, para os moços, é oportuna a exortação do Apóstolo.

Os que renascem, agora, enfrentando novas lutas e tarefas, defrontando-se com um mundo realmente adverso, estão sendo convocados para os divinos empreendimentos da evolução, que exigem, de fato, critério e firmeza.

O campo de trabalho desdobra-se em novas e sublimes atividades, propulsoras naturais do progresso e do aperfeiçoamento moral dos povos, concitando os idealistas aos labores santificantes.

Na luta em prol da evolução, impõe-se o congraçamento dos valores espirituais da juventude, à luz dos ensinos do Cristianismo Redivivo.

Faz-se mister, do Oriente ao Ocidente, o conjugamento de todas as energias morais, a fim de que seja mantido o edifício evangélico, levantado no solo palestinense à custa de suor, sangue e lágrimas.

É indispensável a preservação das magníficas conquistas que uma parcela da humanidade guarda no sagrado escrínio dos seus mais fecundos labores.

O momento, pois, é de luta pelo aprimoramento.

A hora é de trabalho.

A evolução é indeclinável imperativo.

"*A seara é grande, mas os trabalhadores são poucos*" (*Mateus*, 9:37) — assevera o Mestre.

*

A mocidade tem que reservar, no seu coração, um lugar para a mensagem do Cristo.

Tem que se nutrir dessa mensagem, viver dessa mensagem, aperfeiçoar-se em função dessa mensagem sublime e eterna.

Somente o Evangelho do Senhor tem o poder de renovar o homem que se desviou, a sociedade que se extraviou, o mundo que perdeu o equilíbrio.

Ele é o fundamento da ordem e do progresso.

O Evangelho é Amor — na sua mais elevada expressão.

Amor que unifica e constrói para a Eternidade.

Amor que assegura a perpetuidade de todos os fenômenos evolutivos.

E o Cristo recomendou, suavemente: "*Amai-vos uns aos outros, como Eu vos amei*". (*João*, 13:34.)

Seríamos reconhecidos como discípulos seus pelo amor que ofertássemos aos companheiros de romagem.

*

Somente o Evangelho aproximará os homens, porque ele é caridade.

E a caridade é mansa e pacífica.

Não humilha.

É paciente.

Não guerreia, porque perdoa setenta vezes sete.

O Cristo, Mestre e Senhor, avisou-nos de que a cada um será dado na razão direta das obras praticadas.

Allan Kardec — o insigne missionário — recordou a advertência do Mestre dos mestres com a legenda sublime: *"Fora da caridade não há salvação".*

Somente o Evangelho, sentido e praticado, evitará as lutas, o morticínio entre irmãos, porque da árvore do Evangelho vicejam os sentimentos do amor e os frutos do perdão incondicional.

A Boa Nova é o fundamento da evolução e o campo de trabalho ideal para a mocidade.

Evolução com a mocidade e mocidade para a evolução.

Quem ama, com o Evangelho — perdoa sempre.

Quem perdoa, com o Evangelho — esquece ofensas.

Quem esquece ofensas, sob a inspiração do Evangelho — confraterniza com todos.

Quem confraterniza com todos, à sombra acolhedora do Evangelho — aplaina dificuldades, remove obstáculos.

Quem aplaina dificuldades consolida, para a eternidade, no tempo e no espaço, os fundamentos da evolução com Jesus.

30
Livre-arbítrio

"Conhecereis a Verdade e a Verdade vos tornará livres."

O livre-arbítrio é a faculdade que permite ao homem edificar, conscientemente, o seu próprio destino, possibilitando-lhe a escolha, na sua trajetória ascensional, do caminho que desejar.

Limitado a princípio, vai-se expandindo à medida que o homem cresce em espiritualidade.

Quanto mais evoluído o ser, mais amplo o seu livre-arbítrio, maior o seu direito de fazer certas escolhas, no campo da vida, assumindo assim, a pouco e pouco, o comando definitivo de sua ascensão.

Livre-arbítrio e responsabilidade individual desenvolvem-se, simultaneamente, no aprendizado humano.

O homem de evolução primária tem o livre-arbítrio limitado, restrito.

Equivale ao sentenciado que a lei pune, sem transigências, submetendo-o à reclusão onde melhor convenha aos interesses da lei e da sociedade.

A sociedade e a lei não confiam nele.

O homem de evolução mediana tem sua esfera deliberativa menos restrita.

Corresponde ao recluso que, submetido à disciplina dos códigos, recebe dos códigos certas concessões, geralmente atribuídas aos que, no cumprimento de suas penas, demonstram boa vontade e obediência, respeito e compreensão.

O homem evolvido é o ex-sentenciado, o que já se libertou e corrigiu.

Provas e expiações, disciplinações e corretivos foram-lhe o caminho para a libertação definitiva.

Nada mais deve à lei e colabora, na sociedade, para que se restaurem a justiça e a fraternidade, a harmonia e o progresso.

É livre para agir, porque discerne o bem do mal, a verdade da mentira, a luz da sombra.

Conhecendo a Verdade, a Verdade o fez livre.

De sua atuação resultam o trabalho e a prosperidade, o fortalecimento e a segurança das peças que constituem, que formam o maquinismo das coletividades.

Um dia, no curso dos milênios, o nosso livre-arbítrio se harmonizará plenamente com a verdade total, com as deliberações superiores.

Nesse dia saberemos executar, com fidelidade, o pensamento do Cristo, Mestre e Senhor nosso.

Nesse dia, do qual ainda distamos muito, diremos com o Apóstolo da gentileza: *"Não sou eu quem vive, mas o Cristo que vive em mim"*. (*Gálatas*, 2:20.)

Tal se dará quando tivermos superado as imperfeições.

Quando nos integrarmos, em definitivo, pelo coração e pela inteligência, nos preceitos morais e fraternistas do Evangelho.

Sem aquisições elevadas, com base nos ensinos do celeste Enviado, a liberdade nos leva a quedas e fracassos, que redundam, geralmente, em clamorosos débitos e amargas expiações.

Abusando da força — esmagamos os fracos.

Exorbitando do poder, através da liberdade mal dirigida — oprimimos os humildes.

Utilizando mal a inteligência — confundimos os menos esclarecidos.

Se o livre-arbítrio é faculdade que se origina, em princípio, de aquisições intelectivas, o coração bem formado contribuirá, sem dúvida, para que seja ele exercido segundo os padrões da moral e da fraternidade, garantindo, no Grande Porvir, o triunfo do Espírito imortal.

O livre-arbítrio do homem não evoluído é como um espelho que o lodo das imperfeições desnatura, por algum tempo.

O livre-arbítrio do homem de evolução mediana é como uma madrugada que espera o beijo do sol.

O livre-arbítrio do homem evolvido — do que se libertou da ignorância — é como a face tranquila de um lago, onde se refletem, no esplendor de sua radiosidade, os luminosos raios do astro rei.

31
Mocidade e Evangelho

"Tu, pois, filho meu, fortifica-te na graça que está em Cristo Jesus."

A Boa Nova é a mensagem de paz que o Mestre dirige, também, ao coração da mocidade, convidando-a a colaborar na edificação do seu Reino, a contribuir no esforço de transformação da fisionomia moral do mundo.

O Evangelho salvará a humanidade, porque é a luz divina que iluminará todas as criaturas nos purificadores caminhos da vida.

O Cristo afirmou: "Eu sou o Caminho, a Verdade e a Vida. Ninguém irá ao Pai senão por mim".

Ir ao Pai significa aprimorar-se, elevar-se, purificar-se moral e espiritualmente.

Engrandecer-se no amor e na sabedoria.

Gozar as primícias celestiais na execução dos trabalhos do Criador, onde a luta e o progresso continuam sem-fim.

Para encontrar o Pai, teremos, por conseguinte, de aceitar a mão que o seu dileto Filho nos oferece.

A Doutrina Espírita esclarece que a mão de Jesus são os seus ensinos e exemplos, fertilmente encontrados nas luminosas páginas do Evangelho.

Nele, não encontramos nenhuma passagem que justifique lutas, ambições, vaidades.

Tudo nele nos fala de fraternidade e compreensão. Por isso é que somente o Evangelho salvará a humanidade, porque ele é humildade.

E a humildade é compassiva, cordata, tolerante.

O Cristo, exemplificando essa sublime e difícil virtude, cingiu-se com uma toalha, tomou de uma bacia, lavou e enxugou os pés dos discípulos...

*

Somente o Evangelho — meditemos bem — solucionará o problema evolutivo da humanidade.

Onde houver Evangelho, sentido e vivido, haverá caridade e perdão, cessando, assim, discórdias e desinteligências.

Cessando desinteligências e discórdias, as manifestações egoísticas, que produzem as lutas entre os homens, jamais se disseminarão na face da Terra, porque o espírito humano será iluminado pelas divinas claridades do altruísmo.

Ao influxo do amor, as ervas daninhas não vicejarão.

Espalhada a Boa Nova, difundidos os ensinos evangélicos, através da palavra falada e escrita e dos exemplos edificantes, a luz divina da grande Lâmpada clareará consciências e confortará corações em todos os recantos da Terra.

Estabelecido o reinado da compreensão e da fraternidade, não haverá lutas nem guerras, porque guerras e lutas são geradas pela ambição.

Lutas e guerras são incompatíveis com os preceitos do Cristianismo.

Todas as criaturas, nesse glorioso reinado que está por vir, recordarão, terão sempre em mente e cumprirão o mandamento: "*Não matarás*". (*Êxodo*, 20:13.)

Somente o Evangelho, mocidade idealista, salvará a humanidade.

Lembremos, pois, a recomendação de Paulo ao moço Timóteo, encorajando-o com amor: "*Tu, pois, filho meu, fortifica-te na graça que está em Cristo Jesus*". (*II Timóteo*, 2:1.)

Os estatutos, os gabinetes internacionais, os regulamentos humanos, em que pese à sua respeitabilidade, elaborados, algumas vezes, segundo a conveniência de cada povo, raça ou agrupamento político ou religioso, cada qual com o seu personalismo e suas ambições, enfim, as leis e conferências têm se mostrado ineficazes, até certo ponto, em seus objetivos confraternizadores.

É que os homens, em verdade, não estão interiormente iluminados.

Não sentem, na alma, o fulgor dessa luz prodigiosa, deslumbrante e eterna, que emana do sentimento puro, da magia e do suave encanto do Evangelho do Mestre Galileu.

Luz que se fez, para sempre, na gloriosa alvorada da manjedoura de Belém.

*

As reformas têm que decorrer, precipuamente, do indivíduo para a sociedade.

Da unidade para o conjunto, do simples para o composto.

Do homem para a família, grupos e coletividades.

Não se darão, em tempo algum, de fora para dentro, da periferia para o centro.

Resultam — ou terão que resultar — da claridade interna, da modificação íntima.

Carecem — ou carecerão — de doutrinamento e aprendizagem, de perseverança e esforço.

São obra divina e fruto do tempo.

Os moços espíritas de hoje edificarão, com o Evangelho, a reforma dos costumes, a fim de que possa Jesus dizer, um dia: "*O meu Reino já é deste mundo*".

32
A ESCOLHA É LIVRE

"Buscai e achareis."

Na Terra ou no Espaço, na posição de encarnados ou desencarnados, encontraremos, sempre, aquilo que buscarmos durante as experiências evolutivas.

Agindo por nós mesmos, ou atendendo a sugestões de Espíritos menos esclarecidos, colheremos, hoje ou amanhã, o fruto de nossas próprias obras.

A nossa vida, de acordo com a simbologia lembrada pelos Espíritos superiores, pode ser comparada a uma balança comum. E o livre-arbítrio representará, sempre, o fiel dessa balança.

Numa das conchas, acumular-se-ão as nossas criações inferiores, acrescidas das sugestões menos dignas de nossos adversários desencarnados.

Na outra, as nossas criações mais elevadas unir-se-ão aos pensamentos inspirados pelos benfeitores, anjos de guarda ou Espíritos familiares.

Colocadas, assim, em pé de igualdade as duas conchas, o livre-arbítrio, isto é, a vontade consciente fará que uma delas predomine sobre a outra, criando-nos, tal escolha, consequências ruinosas ou benéficas, segundo o caminho escolhido.

É livre a escolha.

Os amigos da Espiritualidade, mesmo os mais abnegados, não equacionam, inteiramente, os nossos problemas.

Inspiram-nos, em nossas silenciosas indagações, deixando, todavia, que a deliberação final nos pertença, com o que valorizam esse inapreciável tesouro que se chama livre-arbítrio.

Sem a liberdade, embora relativa, do livre-arbítrio, o progresso espiritual não seria consciente, mas se efetivaria, simplesmente, pela *força das coisas*.

Na escola da vida, os instrutores espirituais procedem com os homens à maneira dos professores com as crianças: dão informes sobre as lições, explicam-nas, referem-se a fontes de consulta, indicam livros e autores. Mas deixam que os alunos, durante o ano letivo, se preparem no sentido de que, nos exames finais, obtenham, pelo esforço próprio, boa vontade e aplicação, notas que assegurem promoção à série seguinte.

O aluno irresponsável achará, no fim do ano, o que buscou — a reprovação, a vergonha.

O aluno aplicado, que se consagrou ao estudo, achará, igualmente, o que buscou — as alegrias da aprovação.

Tudo de acordo com a lição do Mestre.

"Buscai e achareis." (*Lucas*, 11:9.)

Em nossa jornada evolutiva — *nascendo, vivendo, morrendo, renascendo ainda e progredindo continuamente* —, somos alunos cujo livre-arbítrio escolhera, na maioria das vezes, o caminho das facilidades.

Os instrutores espirituais têm sido, para todos nós, devotados mestres, que nos observam a incúria e a desídia, porém aguardam, pacientes e compreensivos, que as lições do tempo e da dor nos induzam ao reajustamento.

Jamais se apoquentam, quando verificam que pendemos para a concha das sugestões utilitaristas, pois sabem que, buscando a ilusão, encontraremos, mais adiante, as folhas perdidas das desilusões.

Não ignoram que, batendo à porta dos enganos, elas se alargarão diante de nós, a fim de que, partilhando o banquete das futilidades, sejamos compelidos, mais tarde, a buscar, nos padrões do Evangelho, o roteiro para experiências mais elevadas.

Num planeta como a Terra, bem inferiorizado, falanges numerosas de entidades desencarnadas inspiram-nos com tal frequência que a sua intensidade — a intensidade de sua influenciação — não pode ser medida.

No Evangelho e no Espiritismo, estão os recursos imprescindíveis à nossa segurança.

A prática do bem, a confiança em Deus, o esclarecimento pelo estudo, o trabalho constante no bem, tudo isso, com o amparo da prece, preservar-nos-á do assédio de entidades que, em nome de velhos propósitos de vingança, ou por simples perversidade, procuram dificultar a nossa ascensão.

Batendo à porta dos que sofrem, para levar-lhes a mensagem consoladora do Evangelho e o socorro de nossas mãos, encontraremos, um dia, a resposta do Céu aos nossos anseios de libertação.

Sendo livres para a escolha, acharemos, sem dúvida, o que buscarmos.

33
Mocidade e trabalho

"Ninguém despreze a tua mocidade..."

De modo geral podemos dizer que os jovens espíritas da atualidade são almas experimentadas na sublime oficina do serviço evangélico.

Almas, pois, que respondem pela construção do mundo melhor de amanhã.

Formularam, sem dúvida, as mais edificantes promessas regenerativas, nas divinas assembleias que preparam o retorno, aos planos purificadores, de milhares de tarefeiros.

Essa plêiade de entidades que voltam ao cenário da Terra precisa ser despertada para o combate contra as forças destruidoras que ameaçam sufocar os bons sentimentos, retardando, assim, a evolução.

Não foi por casualidade que surgiu em todos os recantos do Brasil — "Pátria do Evangelho e Coração do Mundo" — esse movimento renovador das mocidades espíritas cristãs, esse sopro dinâmico e consciente que tende a operar, em bases evangélicas, extraordinária revolução nos costumes da sociedade hodierna.

Não constitui um acidente, na Terra de Santa Cruz, esta JUVENTUDE EM MARCHA — Juventude que estuda e trabalha, aprimorando a inteligência e o coração.

Não tem sido obra do acaso a transplantação das atividades de vultos eminentes, pela cultura e expressão moral, para o novo campo de trabalho que se desdobrou no Espiritismo: a luta, sincera e constante, pela reforma moral dos jovens, adaptando-os às tarefas doutrinárias.

Os tempos estão, realmente, chegados.

Os ministros divinos, sob o amoroso comando do anjo Ismael, trabalham infatigavelmente, nos planos superiores, inspirando os seareiros encarnados na preparação do terreno.

As responsabilidades se estendem, igualmente, aos jovens.

As tarefas da mocidade espírita, em face do mundo, em face do futuro, estão ampla e claramente definidas.

Os labores evangélicos e doutrinários não comportam mais o indiferentismo, a dubiedade, a vacilação.

O momento é de luta — luta de renovação íntima.

A hora é de trabalho — trabalho fraternal.

*

E não se diga, impropriamente, que a tarefa pertence e cabe apenas aos servidores adultos.

Com o "nascer, morrer, renascer ainda e progredir sempre", preceituado pela Doutrina, o conceito de idade física cede lugar ao conceito universal de idade espiritual.

Se o tarefeiro mais velho dispõe da bênção da experiência, adquirida no labor fecundo, possui o moço o entusiasmo que, bem dirigido, opera prodígios.

O jovem espírita, operoso e sensato, não é simplesmente uma promessa, mas uma afirmação.

O vigor físico, a saúde, o idealismo, as esperanças — tudo isso constitui a muralha granítica capaz de destroçar a ideia de que a mocidade não está em condições de cooperar, ao lado dos mais velhos, na construção das bases do mundo feliz de amanhã.

A palavra evangélica ou espírita, semeada pela juventude, será a chama abençoada que iluminará o porvir.

Todavia, o seu vigor e eficácia serão tanto maiores quanto maiores e mais positivos forem os exemplos do jovem no trabalho com o Mestre.

É indispensável que tanto o moço quanto o velho, ao lançarem mão à charrua evangélica, para a grandiosa tarefa da regeneração da humanidade, fiquem em condições de pregar, exemplificando.

Já disse alguém, com inteira propriedade, que a missão do próprio Cristo teria sido nula se Ele não houvesse dado, de tudo quanto ensinou, o mais vivificante exemplo.

As suas lições não teriam atravessado os séculos.

O conceito se aplica, com absoluta justeza, aos que desejam continuar, com o Mestre, a sua divina obra.

O moço espírita procure, portanto, realizar sinceramente a tarefa preliminar de autorregeneração.

Busque desenvolver, por meio da luta constante, os sentimentos e as virtudes do bem, da moral e da sabedoria — valores que dormitam, potencialmente, no Espírito imortal, como resultante lógica das conquistas elevadas do ser humano, no passado desconhecido.

Se não é justo, aos mais velhos, desprezar dos jovens a mocidade, estuante de energia e idealismo, muito menos razoável será o próprio moço menosprezar o patrimônio que a divina Bondade lhe concedeu.

34
Razão e fé

"E disse-lhe: Sai da tua terra e da tua parentela, e vem para a terra que eu te mostrarei."

Merece consideração a passagem em epígrafe, relembrada pelo jovem Estêvão — primeiro mártir do Cristianismo — ao comparecer ante o Sinédrio, o poderoso tribunal israelita.

Sublinhemos as palavras *tua terra* — *tua parentela* e, por fim, *a terra que Eu te mostrarei.*

Meditemos, pois.

O patriarca Abraão vivia, na terra dos caldeus, atento às atividades normais e rotineiras do campo, cuidando de seus rebanhos de ovelhas, bois e jumentos.

Vivia preso à *sua terra*, vinculado à *sua parentela*.

Era, por conseguinte, um homem circunscrito, limitado em seus objetivos, confinado em suas aspirações.

O Senhor, pela voz de poderosas entidades que se comunicavam pela voz direta — pneumatofonia, retira-o da Mesopotâmia para cumprimento, junto ao heroico povo hebreu, de elevada missão fraternista.

Retira-o de sua terra, de sua parentela, de sua família, para confiar-lhe uma família maior, numerosa descendência, incontável como as estrelas: *"Olha para o céu, e conta, se podes, as estrelas"*. Depois, acrescentou: *"Assim será a tua descendência"*. (*Gênesis*, 15:5.)

*

Nenhuma força transformará o Cristianismo em "uma religião" formalista, convencional, subordinada a rituais desvitalizada.

Ninguém lhe alterará a substância, a feição universalista, abrangente, eterna, divina.

O Cristianismo não cabe numa redoma.

Sendo a religião do amor, é, por conseguinte, a religião cósmica — eis que o Amor é a força que rege o universo em todas as suas manifestações visíveis e invisíveis, objetivas e subjetivas.

Universo físico.

Universo moral.

Universo mental.

O Cristianismo nunca foi, não é, nem será, jamais, um movimento condicionado — familiar, grupal, racial. Nem mesmo planetário.

A sua essência odora não só a Terra — mundo onde a divina Bondade nos situou, presentemente.

Não exerce sua influência, apenas, nos orbes que gravitam em torno do Sol.

O Cristianismo — filosofia do amor universal — aromatiza e vivifica os bilhões de planetas que rolam no Infinito de Deus.

*

O Pai celestial, pela voz de seus iluminados servidores, do plano extrafísico principalmente, vem, com ternura, desde os primórdios das humanidades, procurando dilatar o nosso entendimento.

Ampliar a nossa capacidade afetiva.

Despertar-nos para o altruísmo.

Libertar-nos, enfim, dos acanhados preconceitos de família, grupo, crença, raça.

À maneira do velho Abraão, o homem terrestre precisa deixar a *sua terra,* a *sua parentela,* e integrar-se na grande família universal.

Tão grande, tão numerosa quanto as estrelas que refulgem nas constelações distantes, que não podem ser contadas.

O homem que deixa, subjetivamente, filosoficamente, mentalmente, a sua terra, a sua parentela, não as repudia, como pode parecer.

Longe disso.

Estima-as com a mesma intensidade com que estima outras terras e outras gentes, porque sabe que o menor pedaço de terra e a criatura que nasceu no ponto mais distante do globo pertencem — terra e criatura — a Deus, que é também o seu Criador.

Ama-as com a mesma pureza, o mesmo carinho com que ama a terra onde nasceu e seus compatriotas.

Ama-as sem quaisquer laivos de egoísmo.

Sabe que o povo mais primitivo, como o mais civilizado, é filho de Deus quanto ele próprio — aqui e em qualquer recanto do universo.

Sabe, outrossim, que o habitante de Marte ou de Júpiter também é seu irmão, membro da grande família universal.

Assim como Deus indicou a Abraão *outra terra*, que seria o santuário da Primeira Revelação, o autor da Segunda também nos mostra o abençoado rumo da fraternidade, preparando-nos a inteligência para a sabedoria, o coração — para o amor, a alma eterna — para a Luz que se não extingue.

*

Estêvão é bem o símbolo do homem realizado, do homem que encontrou *outra terra*.

"*...cheio de graça e poder, fazia prodígios e grandes sinais entre o povo.*"

"*E não podiam sobrepor-se à sabedoria e ao espírito com que ele falava.*"

"*Todos os que estavam assentados no Sinédrio, fitando os olhos em Estêvão, viram o seu rosto como se fosse de anjo.*" (*Atos dos Apóstolos*, 6:8 a 15.)

Abraão simboliza o *ontem* da humanidade, arrancada de sua terra e de sua parentela.

Estêvão, inundado de amor evangélico, simboliza o *amanhã* da humanidade, vivendo já noutra terra.

Abraão, numa demonstração de fé — da fé que não encara a razão face a face — ergue o cutelo contra Isaque, seu amado filho, para entregá-lo em holocausto.

É, sem dúvida, o homem de ontem.

Estêvão, sentenciado à morte, apedrejado, vertendo sangue por todo o corpo, o semblante esfacelado, confia-se, ele mesmo, sereno, imperturbável, ao sacrifício.

É, sem dúvida, o homem de amanhã.

O primeiro, preserva a sua vida e entrega a do próprio filho; o segundo, entrega a própria vida para salvar a de muitos.

Estêvão, fitando a Jesus, cujos olhos pousavam com amargura em Saulo, roga compreensão para seu implacável verdugo: "*Senhor, não lhe imputes este pecado*". (*Atos dos Apóstolos*, 7:60.)

E quando sua extremosa irmã Abigail lhe apresenta o algoz por noivo, por depositário de suas juvenis esperanças, tem forças ainda para dizer: "Cristo os abençoe... Não tenho no teu noivo um inimigo, tenho um irmão... Saulo deve ser bom e generoso; defendeu Moisés até o fim... Quando conhecer a Jesus, servi-lo-á com o mesmo fervor... Sê para ele a companheira amorosa e fiel".

Estêvão simboliza, indubitavelmente, o homem do amanhã.

Guarda no peito a fé iluminada pela razão.

Possui no cérebro a razão sublimada pela fé.

"*...viram o seu rosto como se fosse de anjo.*" (*Atos dos Apóstolos*, 6:15.)

35
Mocidade e ambiente

"Foge, outrossim, das paixões da mocidade."

O conselho de Paulo a Timóteo entende, francamente, com o problema da reforma interior, que não é fácil de realizar. Requer luta, estudo, meditação, perseverança.

As imperfeições e tendências para o mal são inerentes à própria condição de inferioridade do planeta, o qual constitui, nesta etapa do nosso processo evolutivo, o *habitat* temporário da psique.

Nele vicejam, vigorosamente, os sentimentos antievangélicos.

As sementes do mal encontram, na esfera terrena, a gleba propícia para desabrocharem.

Mesmo as almas já dotadas de certos conhecimentos intelectuais e qualidades nobres sofrem, ao reencarnarem na Terra, as influências ambientes, sem que isso constitua, como talvez possa parecer, um retrocesso, uma regressão.

Inúmeras vezes o próprio Paulo de Tarso confessava, amargurado: *"O bem que eu quero, não faço; o mal que não quero, esse é que faço"*. (*Romanos*, 7:19.)

A força do mal é tão insinuante que um pequeno descuido, no desenvolvimento e na ampliação das virtudes, poderá precipitar-nos temporariamente no báratro das condenações psíquicas, retardando, assim, a marcha progressiva do nosso Espírito.

Na melhor das hipóteses, produzirá um estacionamento tão inconveniente e prejudicial como, para o estudante, a repetição do ano letivo, perdido na embriaguez das futilidades e dos prazeres que não constroem.

Os moços, principalmente, dada a natureza incipiente, maleável, das funções intelectivas, na fase do desenvolvimento fisiológico, apresentam um estado de maior e melhor vulnerabilidade às coisas boas ou más, elevadas ou deprimentes.

Claro que temos de combater um grande e terrível inimigo, representado pelas nossas imperfeições.

Para os jovens espíritas, contudo, a tarefa se torna menos árdua.

A Doutrina, por sua argumentação lógica, racional e concludente, alicerçada na tese reencarnacionista, tem o sublime privilégio de esclarecer e iluminar, instruir e confortar.

Tem o moço espírita uma seara inesgotável de ensinamentos e experiências capazes de assegurarem o bom êxito, no esforço evolutivo, quando houver perseverança e tenacidade.

No campo do Espiritismo, apesar de todas as influências negativas do mundo exterior e de sua própria alma, o jovem encontrará os elementos de que necessita para o seu progresso moral e cultural.

Há livros admiráveis a compulsar.

Enfermos a visitar.

Desalentados a reerguer.

A noção de responsabilidade, suscitada pelo conhecimento doutrinário, impõe-nos um esforço maior no sentido da nossa melhoria.

A certeza da preexistência do Espírito, com o ativo e passivo que lhe são peculiares, aponta, define, revela obrigações e responsabilidades.

A convicção inabalável da vida futura induz-nos, por seu turno, à valorização do talento-tempo.

O conhecimento da lei das reencarnações sucessivas, cientificamente comprovada pelo Espiritismo, determina, à juventude, grandes responsabilidades.

Leva-a, tacitamente, a lutar com denodo pelo aperfeiçoamento individual, resultando daí, naturalmente, o passo inicial, decisivo, para a iluminação interna.

A mais nobre tarefa do jovem espírita é a de influenciar o ambiente em que vive.

Exemplificar o bem, para que o bem se expanda, se afirme, triunfe.

Essa a tarefa atribuída aos jovens espíritas, aos jovens cristãos, especialmente agora, quando a mentalidade juvenil se defronta com uma sociedade materializada, cujos princípios ameaçam extinguir os sentimentos nobres do coração, em cujo santuário deverá ser erguido o maravilhoso edifício da Fraternidade humana.

36
Eclipse, não

"Pai, se queres, passa de mim este cálice."

Os instrutores espirituais asseguram que a personalidade de Jesus é ainda inabordável ao entendimento humano.

Não temos capacidade, nem de cultura nem de sentimento, para compreender cabalmente o Mestre.

Não lhe podemos conhecer os divinos pensamentos.

Não lhe podemos analisar as atitudes.

Falecem-nos recursos para interpretar-lhe, de maneira integral, todas as palavras e ensinamentos.

Por isso — asseveram —, é o Cristo ainda inabordável à compreensão do homem.

O Cristo não é conteúdo para a taça da compreensão humana.

Efetivamente, é muito difícil entender certas atitudes do Senhor, qual ocorre com a que teve por cenário o Getsêmani.

Essa dificuldade de compreensão dos sentimentos de nosso Senhor; de aprofundar-se-lhe a alma sensível, a individualidade universal, acentua-se, principalmente, quando se lhe pretende examinar as palavras proferidas no Horto, em horas que precederam o Calvário: "*Pai, se queres, passa de mim este cálice*". (*Lucas*, 22:42.)

Há quem interprete a atitude do Senhor como de receio ante o martírio que se avizinhava.

E os que assim pensam, dizem: "Houve um eclipse na grande alma do Cristo, eclipse que logo se dissipou. Foi uma nuvem rápida que ocultou, por instantes, o refulgente Sol. O Cristo Eterno reagiu, prontamente, contra o gesto humano do Filho de Maria".

Nosso pensamento, a respeito do comovente e sublime episódio, é um tanto diverso.

A nosso ver — e tendo o cuidado de realçar a inabordabilidade do Cristo — o cálice que o Mestre preferia não sorver não era o do madeiro.

Nem o da coroa de espinhos.

Nem dos cravos, nem da lança que lhe fizeram jorrar o sangue generoso.

Nem o da morte entre dois ladrões comuns.

O cálice que o Cristo preferia não lhe fosse dado a beber foi o da compaixão.

Condoera-se Jesus, por antecipação, antevendo o esfacelamento de toda uma semeadura de espiritualidade e redenção em favor dos homens.

Era todo um apostolado de luz e esclarecimento que se diluía sob o apaixonado impulso da humanidade — cuja salvação fora o objetivo fundamental de sua vinda ao mundo.

A humanidade caminhava na direção do abismo — e o Cristo o pressentia e lastimava, preferindo não acontecesse.

"*Pai, se queres, passa de mim este cálice.*"

Falou o Mestre como falaria um coração maternal que observa, no rumo do precipício, os passos do filho estremecido.

Coração exuberante de amor, transbordante de ternura, ébrio de carinho.

A humanidade era bem o filho negligente, teimoso, que ouvira as lições, mas não lhes assimilara o conteúdo.

Eclipse do Mestre — nunca.

O Cristo foi, é e continuará sendo um sol sem eclipses.

Um astro que ilumina eternamente, sem alternativas nem oscilações.

Uma estrela de primeira grandeza, cujos reflexos atravessam todos os corpos, por mais gigantescos e sólidos.

Um sol que transpõe e vence infinitas distâncias.

Assim pensando e sentindo, afirmamos: Eclipse, não...

*

Jesus pressentira que os homens arquitetavam, no silêncio, o crime inominável, pelo qual haveriam de responder, inelutavelmente, por séculos e milênios.

"*A cada um será dado segundo as suas obras*" — consecutivas vezes ensinara.

Percebia, em sua divina intuição, que os filhos de sua alma — alma maternal — engendravam o mais hediondo assassínio de toda a História universal, através de sua imolação — dele que tinha vindo ao mundo justamente para redimi-los, para salvá-los.

"*Pai, se queres, passa de mim este cálice.*"

Os cegos e os mudos, os paralíticos e os surdos, os leprosos e os infelizes haviam recebido do seu coração inesgotáveis benefícios.

Na alma de todos — pobres e ricos, grandes e pequenos — plantara as sementes da fraternidade e do perdão. E ansiava por que elas germinassem.

"Viera ao mundo" — dizia — "para lançar fogo sobre a Terra."

"E bem quisera que já estivesse a arder."

Não exigia o Mestre o reconhecimento, a gratidão dos homens; contudo, esperava que os seus corações guardassem, retivessem o perfume da renovação, a essência do Amor que lhes trouxera dos santuários espirituais.

E os homens, filhos de sua alma, maquinavam, no silêncio, a sua morte...

Em alguma parte forjavam, na sombra, a própria condenação.

Autossentenciavam-se.

Jesus, num átimo, no Getsêmani, olhou o futuro da humanidade.

Devassou-lhe os milênios de provação e resgate, e condoeu-se dos homens.

Sua alma encheu-se de compaixão.

Piedade pelos homens, que voltariam, em novos corpos, várias vezes, para o resgate inevitável.

Não por seu corpo, nem por seu Espírito, indestrutível, eterno: pela alma coletiva da humanidade, que, naquele instante, se preparava para consumar, com o sangue do Justo, o seu grande, histórico pecado: o extermínio do Cordeiro de Deus!

O cálice do Cristo não foi o do temor — foi o da compaixão.

O cálice do Cristo não foi o do medo — foi o da piedade.

O cálice do Cristo não foi o do receio ante a cruz de madeira — foi o da tristeza ante a cruz de sofrimento que os homens poriam nos ombros, horas depois, carregando-a, daí por diante, por muitos séculos e milênios.

Eclipse — nunca.

Cristo é um sol inofuscável, que transcende quaisquer sombras, que não conhece eclipses...

O seu coração, compassivo e misericordioso, que ama, sofre e chora o Filho Pródigo, inundar-se-ia, sem dúvida, de felicidade, transbordaria de júbilo, se aquele assassínio não se consumasse.

"Pai, se queres, passa de mim este cálice."

Mas, ante a pertinácia dos algozes, respeitando-lhes o livre-arbítrio, volta-se para Deus, sereno e majestoso: *"Pai, se não é possível, faça-se a tua vontade".*

O Pai quisera, mesmo, que o suave Embaixador bebesse, até a última gota, na taça da incompreensão humana, o licor da piedade e do amor.

Da misericórdia e da compaixão.

Nunca o cálice do temor, que seria um eclipse nublando um sol radioso, eterno, inublável.

Eclipse — não...

37
Mocidade e renúncia

"...aos moços como a irmãos."

O apóstolo aconselha a Timóteo fale aos moços "como a irmãos", isto é, com sinceridade e amor, com respeito e seriedade.

Por isso a nossa linguagem com os jovens deve ser clara e franca, especialmente ao lhes falarmos das profundas, imensas responsabilidades que o Cristo atribui à juventude.

Responsabilidades inalienáveis, imediatas, intransferíveis.

A geração do futuro há de ser um reflexo das gerações de hoje; assim, ninguém prescinde, no seu aprendizado, do exemplo dos mestres.

A geração atual deve ser um espelho para as gerações do amanhã.

E a face desse espelho não pode, nem se deve deixar embaraçar pelas nódoas da iniquidade, que geram o desequilíbrio e o mau exemplo.

Lancemos mão, pois, da charrua evangélica, sem olhar para trás, porque, na luta edificante, não serão admitidos recuos nem vacilações.

Recordemos o "pregai em tempo e fora do tempo", do convertido de Damasco.

Aquele que deseja seguir o Cristo, tem de renunciar a si mesmo, tomar a sua cruz e segui-lo. Essa exortação, profundamente sábia, atravessou os milênios, e tem, hoje, a ressonância sublime de uma advertência amiga, generosa.

Renunciemos, jovens, às preocupações materiais, porque as tarefas evangélicas aí estão, exigindo renúncia, abnegação, sacrifício.

Ofertemos ao mundo apenas o indispensável.

Renunciemos, para que a coletividade inteira, a grande família humana se beneficie da grandiosa obra de regeneração planetária no mais curto espaço de tempo.

Do esforço empregado, dependerá a maior ou menor amplitude de tempo.

O trabalho dos jovens espíritas tem, pois, características inimagináveis.

Com a força moral, adquirida no estudo e na exemplificação evangélica, valiosos empreendimentos serão levados a efeito.

Nas instituições juvenis, a palavra de fé, entusiasmo e convicção será ouvida por outros jovens que não encontraram, por certo, em outras doutrinas, a seiva vivificante da realidade cristã — despida de fórmulas, rituais e símbolos.

No recesso dos lares, na exemplificação constante da bondade, da meiguice, da correção, do respeito filial, exaltando, assim, o *"honrai o vosso pai e a vossa mãe"*. (*Êxodo*, 20:12.)

Nas universidades e ginásios, apresentando-se como perfeitos cavalheiros, educados, estudiosos e aplicados, constituindo exceções que não poderão deixar de ser notadas.

Nas repartições, no comércio, na indústria, como funcionários zelosos, dedicados e honestos, ou chefes humanos, liberais.

Enfim, no seio da sociedade, sempre eivada de preconceitos, fortalecidos e amparados na convicção evangélica, darão testemunhos edificantes, alheando-se, serenamente, dos abusos e desvios anticristãos.

Teremos, então, a mocidade espírita de hoje constituindo, amanhã, para glória de Deus e felicidade de todos, a elite cristã dos professores e médicos, dos magistrados e governantes.

Homens dignos, humanos, justiceiros, agindo consentaneamente com as lições do Cristo Imortal, de quem tanto nos temos separado.

Iluminados, então, em definitivo, pelas claridades da Terceira Revelação — o ESPIRITISMO —, caminharemos, unidos na paz e no amor, na concórdia e na fraternidade, para a frente e para o alto — com nosso Senhor Jesus Cristo!

A posteridade, respirando no clima da legítima compreensão, abençoará, dos moços espíritas de hoje, o esforço renunciante às glórias do mundo...

38
A FORÇA DO EXEMPLO

*"...vos dei o exemplo, para que, como Eu vos fiz,
façais também vós."*

A influência do Espiritismo não se faz sentir, apenas, nos meios que lhe são peculiares.

A sua atuação, salutar e construtiva — altamente construtiva, convém ressaltar —, estende-se, sem dúvida, a outros ambientes, outros setores, outras esferas.

Reformando-se, pouco a pouco, à medida que vai compreendendo, sentindo e aceitando de coração a mensagem renovadora da Doutrina, o espírita começa, muitas vezes sem o notar, a ser um elemento proveitoso ao meio onde vive.

Isso acontece, decerto, por ser o Espiritismo uma doutrina de autorresponsabilidade.

Quando o homem começa a sentir a influência renovadora da Terceira Revelação, sente, igualmente, simultaneamente, uma noção de responsabilidade irresistível, que o faz iniciar, logo, a sua metamorfose íntima, principiando, de modo especial, a preocupar-se com o problema da exemplificação.

Se exerce, lá fora, na vida pública, funções de mando, sente o imperativo de ser justo e bom, porque bondade e justiça são qualidades que o Espiritismo aponta por essenciais à felicidade e ao progresso.

Se, ao contrário, desempenha atividades subalternas, logo compreende a necessidade de esmerar-se no cumprimento de suas obrigações, com disciplina, respeito e boa vontade, porque boa vontade, respeito e disciplina são virtudes que a Doutrina lhe recomenda.

Administrando, pois, ou servindo, o comportamento do espírita esclarecido tende para o bem e para a verdade, eis que os preceitos doutrinários não se harmonizam com a maldade e a mentira, por se acharem, aqueles, impregnados de substância evangélica.

Não se pode exigir, evidentemente, do obreiro espírita, a santificação compulsória, de um dia para outro, uma vez que profundas são as nossas vinculações ao pretérito; contudo, pode-se-lhe sugerir esforço e boa vontade, perseverança e fidelidade na correção de defeitos e na conquista de qualidades enobrecidas.

Constitui sempre motivo de alegria para os instrutores espirituais — encarnados e desencarnados — perceberem que o indivíduo, ao tornar-se espírita, modifica-se para melhor.

Se fora vingativo e rancoroso, converte-se, via de regra, num ser generoso e cordato, esforçando-se, infatigavelmente, para perdoar e servir aos que antes o ofenderam.

Se fora preguiçoso e comodista, transforma-se num obreiro diligente e operoso.

Se se comprazia no comentário maledicente, com relação a tudo e a todos, torna-se discreto, habituando-se, inclusive, a observações ponderadas e sinceras.

Transformando-se, assim, gradualmente, para o bem e para a luz, para o amor e para o conhecimento, o servidor do Espiritismo pode influenciar, de maneira satisfatória, a comunidade a que pertence.

Beneficiar o ambiente onde a suprema Bondade o situou.

Melhorar a coletividade de que participa.

Reajustar caracteres e aprimorar sentimentos de companheiros que lhe partilham a experiência evolutiva.

Isso porque o exemplo — a força do Exemplo — constitui a mais edificante pregação que o homem fiel a si mesmo pode realizar, a benefício seu e do próximo.

A palavra, embora culta e superior, pode ser esquecida.

O bom exemplo, observado e sentido, permanece, indelével, na retina e nos refolhos conscienciais.

Daí ter o Mestre asseverado aos discípulos, após lhes ter lavado os pés: "...*Eu vos dei o exemplo, para que, como Eu vos fiz, façais também vós*". (*João*, 13:15.)

39
Guardar

"Então se lembraram das suas palavras."

Ante a realidade do túmulo vazio, situado nos generosos domínios de José de Arimateia, as mulheres que tinham vindo da Galileia se lembraram das palavras de Jesus, acerca da ressurreição no terceiro dia.

Enquanto o Senhor estava com elas, com os discípulos e com o povo, que lhe desfrutavam a presença sublime, não lhe conseguiam guardar os ensinos.

Esqueciam-lhe as lições, claras algumas vezes, noutras ocasiões ocultas sob o véu da alegoria e da parábola.

Ouviam, mas não guardavam.

Registravam a suave ressonância do seu verbo luminoso, mas não lhe absorviam o conteúdo divino e eterno.

Inúmeras vezes, conforme descrevem os evangelistas, confundem os seus ensinamentos, dando-lhes interpretações em desacordo com o real sentido deles.

Isso igualmente se repete nos dias que passam, com relação ao intercâmbio entre os dois planos da vida.

O mesmo fenômeno se verifica com referência às mensagens que a Espiritualidade superior nos está enviando, em sucessivas ondas de luz e amor, numa demonstração de que as comportas celestes continuam abertas de par em par.

Jesus retornou ao mundo para educar e salvar, para consolar e esclarecer.

Trouxe-nos, de novo, fartas messes, que nos compete assimilar e reter, ouvir e guardar.

Orientação para o exercício da mediunidade — hífen de luz entre o Céu e a Terra.

Conselhos sobre a necessidade de obedecer e servir com humildade.

Lições em torno da fraternidade, para que o amor se expanda.

Incentivos ao estudo nobre, para que a cultura dignifique e eleve a criatura humana.

Exortações à indulgência, para que a compreensão e o respeito favoreçam a convivência harmoniosa.

Valiosos conceitos sobre o perdão, para que se não adube a sementeira do ódio.

Incessantes alvitres à reforma íntima, em consecutivas efusões de luz e misericórdia, enlevam-nos o coração comovido, sempre que as mensagens surgem, aqui e alhures...

Ao suave impulso da palavra do Alto, indefinível paz invade-nos a alma, trazendo-nos a confortadora certeza da presença do Mestre no santuário da nossa consciência.

Todavia, nos labores mediúnicos e nas experiências da subalternidade digna, obediência e fraternidade, estudo e indulgência, perdão e esforço renovador são, ainda, os "grandes ausentes" da nossa caminhada.

Mais tarde, contudo, quando se der o inevitável retorno de nossos Espíritos aos planos subjetivos, pela desencarnação, lembrar-nos-emos, surpresos ou desolados, das palavras desses abnegados instrutores.

A mensagem renovadora é tão necessária ao Espírito imortal como o pão diário ao corpo transitório.

É imprescindível, contudo, não só assimilar e reter, ouvir e entender, mas, sobretudo, guardar e viver o que o Céu tem enviado, com tamanha prodigalidade, mercê de instrumentos mediúnicos devotados e seguros.

Guardar o ensino, exemplificando-o, constitui, em verdade, garantia de aproveitamento e iluminação.

Agora e sempre, hoje e amanhã...

Jesus está conosco, através dos ensinamentos que nos têm felicitado as almas sequiosas.

Nas lições que a psicografia materializa, em forma de mensagens substanciosas e belas, simples e edificantes.

Nos conceitos elevados que chegam até nós por estímulo e reconforto.

Retendo a palavra do Mestre e aplicando-a à vida prática, na medida de nossos recursos, evitaremos a tardia memorização que nos trará desapontamento e surpresa, constrangimento e remorso.

40
CRISTO E LÁZARO (I)

"Senhor, eis que está enfermo aquele que Tu amas."

Encontrava-se o Senhor em Jerusalém, quando Marta e Maria — duas moças residentes em Betânia — mandaram avisá-lo de que Lázaro, irmão de ambas e amigo de Jesus, estava enfermo.

Apesar da urgência do recado, permaneceu ainda o divino Amigo dois dias onde estava, não obstante amar intensamente os amigos de Betânia.

Não era pequena a distância entre Jerusalém e a aldeia, pelo que, quando Jesus ali chegou, Lázaro já estava morto e sepultado, segundo relata o Evangelho.

Não temos o objetivo de formular considerações doutrinárias sobre a morte e a ressurreição do amigo do Senhor, na sua feição biológica, embora disponha o Espiritismo de explicação, clara e lógica, para a ocorrência em si mesma.

Nosso desejo é referirmo-nos, exclusiva e simplesmente, às três principais frases proferidas por Jesus — o que será feito nos capítulos seguintes —, nas quais encontraremos preciosas e instrutivas conclusões ligadas ao complexo problema do despertamento espiritual do homem.

Meditando sobre tais frases, verificaremos que a pessoa "adormecida" ou "morta" para a Verdade Transcendente terá, como Lázaro, de acordar, de erguer-se, de caminhar sob a influência de fatores sutis e variados.

Fatores que dependem, inclusive, da interferência direta ou indireta de terceiros.

O despertamento é gradativo e se condiciona ao funcionamento, equânime e perfeito, das leis naturais que regem a evolução.

Ninguém desperta instantaneamente.

Ninguém se ergue, de um momento para outro, do túmulo da ignorância para o santuário do conhecimento.

Ninguém dá um salto da cova do egoísmo para a catedral da abnegação.

Ninguém, após levantar-se, conseguirá desenfaixar-se, com facilidade, sem o concurso de amigos e benfeitores, sejam eles encarnados ou desencarnados.

Há sempre alguém intercedendo por nós, à maneira de Marta e Maria, que se apressaram a enviar mensageiros ao Cristo, a fim de que pudesse Lázaro ser restituído à dinâmica da vida.

O Mestre, ouvindo o apelo, compareceu à humilde aldeia de Betânia.

Atendendo ao aflitivo chamado das moças, que choravam o irmão morto, pronunciou as três frases que, segundo a elucidação espírita, indicam o lento despertar do Espírito para as belezas da imortalidade.

"Tirai a pedra."

"Lázaro, sai para fora."

"Desligai-o, e deixai-o ir." (João, 11:39, 43 e 44.)

41
Cristo e Lázaro (II)

A primeira frase:

Tirai a pedra

Quando o Mestre se acercou do túmulo onde jazia Lázaro, inerme, já se havia formado ali um pequeno ajuntamento de pessoas.

Eram amigos e conhecidos que tinham ido à casa de Marta e Maria, para consolá-las "acerca do irmão", conforme esclarece o Evangelho, pessoas essas que, informadas da ida do Senhor ao sepulcro, para lá também se dirigiram.

É de crer-se, obviamente, que curiosos e céticos pretendessem — quem sabe? — testar o maravilhoso poder do carpinteiro de Nazaré.

Aferir-lhe a grandeza excelsa.

Certificar-se se eram reais ou não as propaladas qualidades do Profeta, pois do filho de José dizia-se que operava prodígios.

Reabilitava mulheres infelizes.

Curava loucos.

Reanimava desalentados e sofredores.

Restituía a visão aos cegos.

Limpava leprosos.

Levantava paralíticos.

O certo é que a Boa Nova registra a presença de numerosas pessoas em torno da sepultura, quando o Mestre ali chegou acompanhado dos discípulos e de Marta, que lhe havia saído ao encontro.

Essas pessoas iriam colaborar com Jesus na ressurreição de Lázaro...

*

Entre Jesus e o morto havia uma pedra.

Entre a claridade e a sombra havia uma barreira, um obstáculo enorme e pesado.

No estreito recinto onde se presumia que Lázaro começava a apodrecer, e no amplo mundo exterior, onde o Cristo meditava, duas estranhas realidades se defrontavam.

Estranhas, diferentes, antagônicas...

A vida e a morte.

Cá fora, com a primeira, a luz fulgurando na ribalta da natureza em festa.

Lá dentro, com a segunda, a escuridão, a inércia.

Lázaro, separado da Vida, mergulhado na Morte, não podia, evidentemente, ouvir de Jesus a palavra renovadora.

Não lhe podia atender a voz de comando, suave e enérgica ao mesmo tempo, numa simultaneidade que o homem dificilmente compreenderá.

Não tinha ouvidos para captar a ordem que, mais tarde, quando o obstáculo fosse removido por terceiros, o Senhor lhe daria: *"Lázaro, sai para fora"*.

Era indispensável, portanto, o concurso dos circunstantes, a colaboração dos que ali se encontravam, mesmo por curiosidade ou descrença, a ajuda dos amigos de Lázaro.

Lázaro estava morto.

Não tinha olhos para ver, nem ouvidos para ouvir, nem sentidos para perceber a realidade que o procurava.

Apelou, então, Jesus, para a cooperação dos seus amigos: *"Tirai a pedra"*.

Em outras palavras: "Tirai o entulho mental que impede a visão dos magníficos panoramas da vida imortal".

Estava, portanto, proferida a "primeira frase" do Mestre no maravilhoso, no deslumbrante e incompreendido episódio da ressurreição de Lázaro.

Os amigos do morto retiraram a pedra, sob a inspiração de Jesus.

A claridade do sol que descambava penetrou, como uma réstia de esperança, no fundo da caverna onde tinham posto o irmão de Marta e Maria, o amigo do Senhor...*

*

Quando estamos mortos para a Verdade, insensibilizados ante o esplendor da Imortalidade Gloriosa, a palavra

---

*N.E.: Aos leitores que desejarem conhecer o fenômeno, recomendamos a leitura do capítulo "A ressurreição de Lázaro", na obra *Síntese de o novo testamento*, de Mínimus.

do Mestre não consegue ecoar em nosso universo íntimo, tornando-se imprescindível, à maneira de Lázaro, que outras mãos nos ajudem.

Mãos que tanto podem vir do plano espiritual, através da mensagem edificante e do livro que esclarece, como do próprio plano físico, onde estagiamos, mediante a convivência nobre, educativa, salutar.

Tais companheiros, incumbidos por Jesus de tirar a pedra que nos separa da claridade, são legítimos cireneus de nossa caminhada.

Assim também, Emmanuel e André Luiz, Bezerra de Menezes e tantos outros retransmitem ao nosso coração a mensagem renovadora do Cristo; reeducam-nos para a vida melhor, afastando de nossa sepultura espiritual a pedra do egoísmo que há milênios nos oblitera a consciência, enregela-nos o coração e petrifica-nos o sentimento.

Abençoemos, pois, os generosos amigos, encarnados e desencarnados, que, muita vez nos ferindo o orgulho desmedido, nos despedaçando a vaidade ou nos destroçando o egoísmo avassalante, põem-nos em contato com a Luz da Verdade.

Aproximam-nos de nosso Senhor Jesus Cristo — o Pão da Vida.

42
Cristo e Lázaro (III)

A segunda frase:

Lázaro, sai para fora.

Jesus não dispensou o concurso dos amigos do morto no processo do seu levantamento.

Não indagou deles, contudo, quanto à cultura, nem quanto aos sentimentos.

Não lhes perguntou se eram judeus ou romanos, rabinos ou pescadores, senhores ou escravos.

Simplesmente utilizou-os na ressurreição de um homem, valorizando-os, pois, com a oportunidade de trabalho, cooperação e serviço.

Mas, tão logo estabeleceu contato visual com o jovem de Betânia, fala-lhe diretamente, sem reticências.

Não mais intermediários: dá-lhe a ordem, incisiva e categórica.

Intima-o, com bondosa energia, a deixar a sombra do túmulo, num convite a que viesse aspirar o oxigênio cá de fora; a que viesse reaquecer-se sob a claridade do sol que buscava, àquela hora, a linha do horizonte.

"*Lázaro, sai para fora*" — determina, de modo irresistível, possivelmente para recordar o que dissera ainda em Jerusalém, quando lhe chegara a notícia da doença do amigo: "*Esta enfermidade não é para morte, mas para glória de Deus; para que o Filho de Deus seja glorificado por ela*". (João, 11:4.)

Quando o Mestre, voltando-se, sereno, para os amigos de Lázaro, lhes ordenava que tirassem a pedra, *Jesus estava com Lázaro*, mas, por estranho que pareça, *Lázaro não estava com Jesus*.

Agora, contudo, com a suave claridade que invadira o interior do sepulcro, Lázaro já podia ouvir a voz do Senhor, a palavra de comando: "*Lázaro, sai para fora*".

"E o defunto saiu" — relata o Evangelho (*João*, 11:44).

"... e Lázaro, que se ergue do sepulcro, é a vida triunfante que ressurge imortal" — pondera Emmanuel, referindo-se ao grandioso episódio.

*

Também nós outros, retirada a pedra do egoísmo do sarcófago de nossos enganos milenares, já podemos ouvir, meio confusos, à maneira de uma sinfonia longínqua, o verbo amoroso de nosso Senhor Jesus Cristo.

Convocando-nos à Luz.

Requisitando-nos à Verdade.

Chamando-nos, enfim, à Vida.

Vacilantes e indecisos, aturdidos e semidespertos, fitamos a amplidão dos céus infinitos, onde cintilam estrelas-esperanças de mundos fabulosos, de sublimes e ainda inabordáveis humanidades que escrevem páginas imortais no universal drama da evolução.

As nossas pálpebras estão pesadas.

Os pés se encontram doloridos.

As mãos ainda traumatizadas.

Em nossa cabeça — um vácuo indefinível.

Estamos realmente atônitos, mas já começamos a sentir, no templo de nosso Espírito, a presença augusta e misericordiosa do Mestre.

Faixas mentais nos identificam com a morte, mas já estamos erguidos.

Não há por que desanimar.

"A evolução é fruto do tempo infinito..."

43
Cristo e Lázaro (IV)

A terceira frase:

Desligai-o e deixai-o ir.

Estamos do lado de fora, ante o sol do Evangelho do Senhor.

Mas, ó indisfarçável realidade!, temos as mãos e os pés ligados por faixas, o rosto envolto num lenço, à maneira de Lázaro.

Estamos de pé, realmente — mas não podemos andar.

A luz fez-se em torno de nós — mas nada enxergamos.

Ao redor de nós, pessoas e coisas — mas nossos olhos nada percebem.

A pedra foi retirada por generosos amigos — mas permanece, tirana e impiedosa, a atrofia muscular.

Já saímos do sepulcro, obedecendo à determinação do celeste benfeitor.

Mais uma vez, no entanto, o Mestre roga o concurso de nossos queridos cireneus, velhos amigos que removeram a pedra, quando não apenas "dormíamos", mas estávamos "mortos" para as realidades da vida mais alta.

Devotados amigos, benfeitores incansáveis de outras existências, que estiveram ao nosso lado na "morte", no "sono", no "despertamento", acorrem de novo, pressurosos, para nos desligarem as faixas e o lenço que nos perturbam, nos inibem, nos impedem de dar o passo decisivo.

Para a frente e para o alto.

Para a sabedoria e para o amor.

Para o conhecimento e para a bondade.

Jesus utiliza aqueles amigos, abnegados companheiros de outras jornadas reencarnatórias, que, melhor aproveitando a bênção do tempo e as oportunidades, de nós se distanciaram pelo esforço próprio, pela perseverança no bem.

Companheiros que, certamente, como nós outros, tiveram há milênios a sua pedra, mas da qual se libertaram, em definitivo, desde o sublime instante — o glorioso minuto em que a voz do Cristo ecoou em suas consciências: "*Sai para fora*".

Embora desperto — Lázaro não podia caminhar.

Estava enfaixado, inibido, obliterado.

Também nós outros, apesar de acordados, necessitamos ainda de quem retire as faixas mentais que nos impedem a visão maior.

Faixas de egoísmo, gerando outros males.

Ambição, orgulho, inveja, ódio...

Velhas faixas que nos conservam imantados à sepultura de nossas ilusões, que teimam em não morrer, em não se extinguir...

*

Não basta seja retirada a pedra, por nossos amigos encarnados ou desencarnados.

Não basta a repercussão, na acústica de nossa consciência, da ordem do Senhor, compelindo-nos a levantar e sair para fora.

Não basta que nos desliguem, nos desenfaixem, nos deixem ir, sonolentos e aturdidos — fantasmas sem rumo e sem vontade.

É imprescindível marchemos, conscientes e esclarecidos, na direção da imortalidade sublime, onde o serviço com Jesus pede, de cada um, devotamento e renúncia, decisão e boa vontade.

É imperioso, já que reconhecemos com Emmanuel que "toda reação substancial procede do interior para o exterior", empenhemos todo o esforço possível no sentido de nossa ascensão, definitiva, no rumo da vitória com o Mestre.

44
Discernimento

"Conhece-se a árvore pelo fruto."

As comunicações mediúnicas — espontâneas ou provocadas — não constituem invenção do Espiritismo.

Essas comunicações sempre existiram, em todos os tempos e lugares.

A história de todos os povos, ocidentais e orientais, demonstra que o mundo espiritual nunca esteve divorciado do mundo físico.

Na Antiguidade tais fenômenos não eram desconhecidos, embora permanecessem limitados ao recinto fechado dos templos, monopolizados pelos iniciados, que se interessavam em ocultá-los do povo, deles tão necessitado, como seria demonstrado no futuro.

No tempo de Jesus, os fenômenos se intensificaram.

A presença do Cristo na Terra pôs em efervescência as forças espirituais, a ponto de os contemporâneos do Mestre se familiarizarem de tal modo com as comunicações que as páginas evangélicas estão repletas de fatos dessa natureza.

Com o Cristo, pudemos notar que as cortinas dos templos iniciáticos se tornaram transparentes.

Tornaram-se a tal ponto tênues que as comunicações se generalizaram, atingindo as mais diversas camadas da sociedade da época.

Os fenômenos ganharam as ruas.

Foram para as aldeias mais distantes.

Penetraram nas metrópoles mais famosas.

Invadiram os campos e as praias.

Consagraram-se, afinal, como expressão imensurável do amor de Deus, no glorioso dia do Pentecostes.

Embora os surtos mediúnicos se tivessem ampliado com o Mestre, fertilizando a lavoura da Boa Nova, caberia, contudo, ao Espiritismo, ao Consolador, por determinação do próprio Cristo, a missão de metodizar-lhes a prática, de disciplíná-los, à maneira do engenheiro que, ante a força desgovernada da cachoeira, utiliza os recursos da técnica para convertê-la em alavanca do progresso e do bem-estar.

Coube ao excelso missionário da Codificação, não apenas por meio de trabalhos esparsos, mas, sobretudo, através de *O livro dos médiuns*, estabelecer as principais linhas da prática mediúnica.

Aos herdeiros da Terceira Revelação assegurou Allan Kardec, em *O livro dos médiuns*, o roteiro fundamental, a diretriz segura.

Se desejamos que a prática mediúnica, com finalidade educativa e consoladora, para nós e para os desencarnados, se realize de acordo com os preceitos do Evangelho e dentro das normas doutrinárias, é imprescindível o estudo desse livro, verdadeiro tratado experimental de Espiritismo, que garante ao espírita base sólida para o desempenho eficaz de seus encargos nesse delicado e sublime campo da Doutrina.

O sabor do fruto revela a árvore.

O estudo e a observação levam ao discernimento.

Sem as luzes doutrinárias, hoje profusamente propagadas, dificilmente conseguiremos êxito no serviço mediúnico.

Promover o intercâmbio com os Espíritos sem a orientação doutrinária e o sentimento evangélico, em qualquer tempo e lugar, é caminho aberto para desagradáveis surpresas.

E o discernimento e a bondade — vigas mestras do setor mediúnico — são qualidades que somente a Doutrina e o Evangelho proporcionam.

Cabendo, pois, ao Espiritismo a missão de orientar a prática mediúnica, não podemos ignorar que, na qualidade de militantes da Doutrina, cada um de nós suporta, nos ombros, uma parcela de responsabilidade.

Na sua difusão, no seu desenvolvimento, no seu exercício.

Isso é o que nos parece acertado.

E a todos há de também parecer, supomos, porque a cartilha mediúnica é uma só: *O livro dos médiuns*.

45
Estudo e trabalho

"Espíritas! Amai-vos; este o primeiro ensinamento; instruí-vos, este o segundo."

A Espiritualidade superior vem insistindo, através de consecutivas mensagens, pela necessidade do estudo e do trabalho nas fileiras renovadoras do Espiritismo.

Amor e instrução têm sido, em verdade, a palavra de ordem dos mensageiros do Cristo.

Os trabalhadores encarnados, identificando-se com o pensamento e a orientação dos que acompanham, de Mais Alto, a surpreendente e irresistível marcha da Doutrina, sentem-se, naturalmente, no dever de secundá-los na recomendação.

Aliás, não é de agora que os Espíritos exortam os homens ao estudo, à instrução, à cultura — cultura, no entanto, que não envaideça o homem, mas o torne humilde, sinceramente humilde.

Humilde de dentro para fora.

Quando se lançavam na França os fundamentos do Espiritismo, iluminadas entidades que organizavam a Codificação, utilizando-se da personalidade missionária de

Allan Kardec, já despertavam os obreiros da primeira hora para o imperativo da instrução.

O Espírito de Verdade, cujas palavras deixam indiscutivelmente entrever uma transcendente autoridade, comunicando-se em Paris, em 1860, exortava, incisivo: "Espíritas! Amai-vos; este o primeiro ensinamento; instruí-vos, este o segundo".

O amor é o trabalho, a ação, o serviço.

A instrução é a leitura, o estudo, o conhecimento.

Amor e instrução constituem, por conseguinte, duas alavancas, duas ferramentas que devem estar, noite e dia, nas mãos dos espíritas.

Por intermédio do amor, exerceremos a solidariedade. Identificar-nos-emos com o sofrimento do próximo.

Visitaremos o enfermo e o encarcerado. Despertaremos, enfim, no âmago de nossa individualidade eterna, a centelha de bondade que existe, potencialmente, em cada ser.

Por meio do estudo, aprenderemos a discernir o erro da verdade; a claridade da sombra, e a sinceridade da hipocrisia.

O Espiritismo, como acentua Allan Kardec, não é uma doutrina que induza os seus adeptos a estranhas, esdrúxulas singularidades.

Nem estudo sem amor; nem amor sem estudo.

Em suma: nem bondade desprovida de conhecimento, nem conhecimento com ausência de bondade.

Amor sem estudo é comportamento unilateral, favorecendo, apenas, o coração, o sentimento, mas retardando a ascensão para Deus.

Estudo sem amor constitui, quase sempre, experiência simplesmente intelectual, podendo levar à presunção e à vaidade, ameaçando o aprendiz de queda ou fracasso.

É que, via de regra, consoante adverte Paulo de Tarso, "*o saber ensoberbece, mas o amor edifica*". (*I Coríntios*, 8:1.)

Emmanuel, falando-nos ao coração, exorta, também: "Recorda que, em Doutrina Espírita, é preciso estudar e aprender, entender e aplicar".

Aconselha, outrossim, a divulgação do "estudo nobre". Todavia, reconhecendo a fragilidade humana, destaca a necessidade de o espírita, pelo amor, "alicerçar as palavras no exemplo".

Observando o empenho dos instrutores espirituais na incessante recomendação ao estudo, não devemos esquecer que Léon Denis, preocupado, decerto, com o problema da ignorância, que leva ao fanatismo, asseverava, no seu tempo: "O Espiritismo será aquilo que dele os homens fizerem".

Que rumo tomaria a Doutrina Espírita se nos encastelássemos na preguiça mental, desprezando os livros, alheando-nos das mensagens que descem dos céus, em catadupas intérminas, infindáveis?!...

Aonde iríamos parar se os livros permanecessem fechados nas prateleiras das editoras e livrarias?!...

Que seria do Espiritismo — que é Ciência, Filosofia e Religião — dentro de mais algumas dezenas de anos?!...

A Doutrina Espírita é, sobretudo e essencialmente, a Doutrina do equilíbrio, do bom senso: amor e sabedoria, constituindo as asas de que se utilizará o espírito humano em seu voo para o Infinito.

Trabalho e instrução — a fim de que o equilíbrio seja uma constante na vida do aprendiz e na expansão doutrinária.

Devemos, por isso mesmo, também perguntar:

Que rumo tomaria o nosso abençoado movimento, se, apenas estudando, olvidássemos os necessitados do caminho?

Aonde iríamos parar, se, apenas manuseando livros e devorando mensagens, nos alheássemos da fome do pobrezinho, da nudez do órfão, da dificuldade da viúva, da solidão do encarcerado, do desespero do enfermo incurável?

Que seria do Espiritismo — Consolador Prometido por Jesus — se, estimulando a cultura, lastimavelmente esquecêssemos a sublime legenda adotada pelo insigne missionário lionês: Trabalho, Solidariedade e Tolerância?

Há, portanto, como se observa, uma dupla, inseparável e indissolúvel, necessidade: amor e instrução.

Não poderia, evidentemente, enganar-se o Espírito de Verdade — "*Venho, como outrora, aos transviados filhos de Israel, trazer a Verdade e dissipar as trevas. Escutai-me*" — ao preceituar, nos primórdios do Espiritismo, o imperativo do amor e da sabedoria.

"Espíritas! Amai-vos; este o primeiro ensinamento; instruí-vos, este o segundo."

46
Libertação

"Se vos falei de coisas terrestres, e não crestes..."

O Espiritismo tem sido a doutrina que esposa, defende e difunde a ideia de que as revelações são feitas à medida que se processa a maturidade do homem.

Não estando em condições de compreender a "voz dos céus", venha ela no campo da Ciência, da Filosofia ou da Religião, tem a criatura humana pretendido não só conhecer o que não pode, mas, o que é pior, exercer o monopólio de pequeninas nesgas de revelações que o Pai celestial permite se façam.

São "coisas celestiais", como acentuou Jesus, que os Nicodemos da atualidade não podem compreender — eles que ainda não entendem nem mesmo as coisas terrestres.

O trabalho revelador da Espiritualidade superior obedece a uma planificação que se alicerça, sobretudo, na sabedoria e no amor de Deus.

E a manifestação desse trabalho, na Terra, entre os homens, subordina-se aos fatores mais variados. Culturais, morais, espirituais.

Não se condiciona à vontade, quase sempre infantil ou pretensiosa, dos encarnados.

Cada um receberá de acordo com o grau de cultura, o índice de espiritualidade, a natureza dos sentimentos.

Nas revelações científicas — cultura, conhecimento.

Nas religiosas — sentimento, moral.

Tudo vem a seu tempo, e Deus é quem sabe quando o tempo é propício.

Jesus falou sobre a reencarnação a Nicodemos, mas o digno e respeitável corifeu do farisaísmo não pôde compreender a referência do Mestre.

Nicodemos era um homem intelectualizado, ninguém o pode negar.

Habituara-se, sem dúvida, no Templo e nas sinagogas, ao jogo fraseológico da exegese escriturística.

Mas, apesar disso, não possuía cultura espiritual para entender o transcendentalismo da tese palingenésica, por Jesus sutilmente exposta.

"*Se vos falei de coisas terrestres, e não crestes, como crereis, se vos falar das celestiais?*" (João, 3:12) — frisou o Mestre, compreensivo e paciente, generoso e sábio, ante o esforço mental do curioso fariseu.

Apesar disso, numa derradeira tentativa, atento à fome espiritual do doutor da lei, prosseguiu: "*Na verdade vos digo que aquele que não nascer da água e do Espírito, não pode entrar no reino de Deus*" (João, 3:5) — palavras que, mais tarde, o Consolador pelo próprio Jesus prometido transformaria no "nascer, morrer, renascer ainda e progredir sempre..."

Para compreender a reencarnação, é indispensável, antes de tudo, que o homem se liberte do fanatismo religioso.

Atire para bem longe o preconceito científico.

Jogue fora qualquer expressão dogmática.

Não se libertando — não entenderá.

Libertar-se, pois, para entender — eis a questão.

É necessário que, superando a má vontade e o orgulho, dê o homem uma sacudidela na própria consciência e se liberte, de uma vez ou gradualmente, mas com firmeza, de quaisquer estreitezas e inibições.

Nesse esforço, por compreender, a humildade desempenha, também, um papel relevante.

A coragem moral também tem o seu lugarzinho...

Estreitezas e inibições, má vontade e orgulho são herança de religiões que, ou se modificam, sob o impacto da evolução, do progresso, ou perdem a sua finalidade, o seu prestígio no seio do povo.

Serão compelidas a ceder o lugar, em definitivo, a doutrinas mais consentâneas com a fé que não tem medo da razão.

O homem moderno está buscando, com ansiedade, o conhecimento da Verdade.

É essencial, pois, não esquecer a advertência de Jesus quando afirmou que o homem se libertará ao conhecer a Verdade...

47
Liberdade cristã (I)

"Todas as coisas são lícitas, mas nem todas convêm."

Fixando os limites da liberdade cristã — em outras palavras: estabelecendo regras para o bom-tom evangélico — adverte Paulo, aos membros da Igreja por ele fundada em Corinto, na Grécia, no capítulo 10, versículo 23 de sua *Primeira Epístola*, quanto à liceidade e conveniência das coisas.

A orientação paulina é sábia e equilibrada, uma vez que favorece a nossa compreensão quanto ao comportamento heterogêneo dos homens em determinadas circunstâncias da vida em comum.

Para maior clareza da passagem em estudo, reproduzimo-la, também, segundo outras traduções bíblicas: *"Tudo me é permitido, mas nem tudo convém; tudo me é permitido, mas nem tudo edifica"*.

Em primeiro lugar, realcemos o respeito ao livre-arbítrio individual, no *substractu* ético do Cristianismo: tudo é permitido ao homem, mas ele modificará essa liberdade de escolha, deixará de usar essa permissão tão logo a Espiritualidade lhe apresente mais amplos horizontes evolutivos, ou a evolução lhe mostre mais largos panoramas espirituais.

O homem pode fazer isto ou aquilo, desde que nisto ou naquilo se compraza.

Escravo, contudo, é o homem na colheita, pois que livre o é na semeadura.

O pensamento do Apóstolo dos Gentios é algo parecido, no tópico em análise, com o do Mestre — a quem Paulo tanto soube amar e a cujo ideal tão bem soube servir —, quando rogava pelos discípulos, na chamada "oração sacerdotal": *"Pai, não te peço que os tires do mundo, mas que os livres do mal"*. (*João*, 17:15.)

A advertência de Paulo leva-nos, inicialmente, a refletir quanto à conveniência ou não de certas coisas.

Impele-nos, igualmente, para um detalhe significativo: Quando o homem acorda para as eternas realidades — do bem e da moral, do sentimento e da cultura —, certas normas da vida social são, para ele, evidentemente lícitas, mas não lhe convêm.

Não convêm, porque não edificam.

Não constroem intrinsecamente. Não aprimoram.

Não aproveitam ao Espírito imortal.

Estudemos o assunto, delicado sem dúvida, sob alguns aspectos da vida de relação.

A vida social, em tese, é agradável e necessária, algumas vezes, à manutenção do círculo de amizades que o homem forja dia a dia.

Há criaturas, no entanto, que colocam este problema em termos tais, que chegam a afirmar: "A minha vida social é tão intensa, tão absorvente, que não me sobra tempo para mais nada".

É o caso, então, de se ponderar com o Apóstolo: É lícito manter vida social; contudo, se tal programa, por sua intensidade, se torna obsessivamente escravizante e escravizantemente obsessivo, com prejuízo para um outro, sublime programa — o das ocupações espirituais —, obviamente não convém, porque não edifica.

Outro caso, agora relacionado com as diversões.

Há pessoas que as frequentam quase durante a semana inteira, não reservando sequer uma noite para visita a um doente, a um encarcerado, a um sofredor, a um amigo que atravessa uma provação.

Comparecer a diversões instrutivas, naturalmente é coisa lícita, inclusive porque arejam e educam o Espírito, aliviando-o das sobrecargas mentais de um dia de intenso labor.

É licito, sem dúvida, mas não convém ao aprendiz de boa vontade procurá-las excessivamente, muitas vezes na semana, porque essas noites serão mais cristãmente vividas se utilizadas na visita aos necessitados, ou no cumprimento, enfim, de qualquer tarefa espiritual.

O problema, em suma, da criatura realmente interessada em dinamizar a própria renovação é o da vivência cristã do maior número de horas.

Renovar é libertar-se.

Libertar-se é ascender na compreensão, no entendimento.

Cada hora, em nossa existência, é uma oportunidade que nos compete valorizar, utilizando-a no bem, em qualquer uma de suas variegadas modalidades.

Frequentar as diversões educativas — simplesmente as educativas e nunca as licenciosas — uma vez por outra, é coisa lícita.

Delas não nos pretende o Espiritismo privar.

Tornar-se, contudo, o homem escravo das filas, obsidiar-se pelos anúncios de espetáculos — não convém, porque não edifica.

Penetremos bem o pensamento de Paulo: *"Todas as coisas são lícitas, mas nem todas convêm".*

48
Liberdade cristã (ii)

"Tudo me é permitido; mas nem tudo edifica."

Os espíritas já conhecem — alguns por experiência pessoal, outros por meio da leitura — a precariedade das alegrias e distrações do mundo.

Já percebem o contraste entre elas e os júbilos espirituais, a transitoriedade daquelas e a perenidade destes.

Podem, portanto, usar o discernimento na escolha do que lhes convém — porque tem sentido de eternidade —, em detrimento do que apenas é lícito — que é sempre de natureza efêmera.

As visitas sociais, das quais o coração não participa, vazias, via de regra, de conteúdo e finalidade edificantes, são inócuas.

Não se lhes vê, em sua maioria, objetivo sério.

O que fazem, geralmente, é favorecer a malícia, o comentário ferino, a observação maledicente.

Não convém, pois, a quem tem problemas sérios com os quais deve e deseja ocupar o seu tempo, as suas horas e minutos.

Nas diversões, atendemos, via de regra, ao nosso próprio interesse, o que não deixa de ser, no fundo, uma forma de egoísmo — disfarçada, sutil, imperceptível.

Na visita ao necessitado, atendemos ao interesse de outrem, o que é, indubitavelmente, uma atitude de altruísmo.

Nas primeiras, há uma satisfação pessoal.

Na segunda, realizamos um ato fraterno, caridoso, evangélico, cujo preço, muita vez, é o sacrifício de uma hora de repouso.

Paulo, dando curso ao seu pensamento, no capítulo 10, versículo 24 de sua *Primeira Epístola aos Coríntios*, recomenda: "*Ninguém busque o seu próprio interesse, mas sim o de outrem*".

*

Outro exemplo, também elucidativo.

Ler é bom, é agradável, é coisa lícita, permitida; mas só convém ler o que nos possa melhorar.

O que nos possa instruir para o belo, o eterno, o divino.

O mau livro é irmão do espetáculo pernicioso.

Nem toda leitura, por conseguinte, convém, embora toda leitura seja lícita, mesmo porque não se pretende impor ao homem leia este ou aquele livro que se não ajuste à sua preferência.

Esta interpretação do pensamento de Paulo não encontrará receptividade em criaturas que ainda não começaram a sentir enfado na leitura de certos livros nos quais a insensatez e a leviandade, a presunção e a descrença se ajustam perfeitamente.

O homem que está começando a se esclarecer não perde o seu tempo — precioso talento que a divina Bondade lhe concede — na leitura de livros *simplesmente* lícitos, mas o emprega, convenientemente, na leitura de livros *essencialmente* edificantes.

Toda leitura, portanto, é lícita, mas nem toda leitura convém.

Toda leitura é permitida, mas nem toda leitura edifica.

Profunda é a recomendação do ex-doutor do Sinédrio, ex-tecelão de Tarso, e, depois, valoroso, incomparável disseminador das verdades cristãs.

Quantas vezes ouvimos de companheiros palavras como estas: "Não fui às tarefas espirituais porque, no caminho, me encontrei com um amigo e ficamos a conversar".

A conversação com um amigo, numa esquina qualquer, é coisa lícita; mas, preferi-la à sublime alegria dos deveres espirituais não convém, porque não edifica.

Pelo contrário: serve para nos conservar, por muito tempo ainda, talvez séculos, substituindo o eterno pelo temporal.

O divino — pelo humano.

O transcendente — pelo rotineiro.

O que redime — pelo que cristaliza.

O espiritual — pelo material.

Os prazeres do Céu — pelas alegrias da Terra.

Há milênios e milênios a nossa alma — viajora do Infinito — compraz-se na futilidade.

Na leitura vulgar, quando não deprimente.
Na visita convencional.
Na distração rotineira.
Nos espetáculos sem proveito.
Nega a si mesma, destarte, a belíssima oportunidade de um esforço maior, no sentido de emergir da animalidade para a humanidade, de renovar hábitos e costumes, atitudes e sentimentos.
É hora de mudar, sem dúvida...

49
Liberdade cristã (III)

"Ninguém busque o seu próprio interesse; e sim o de outrem."

A exortação de Paulo é um convite à fraternidade, ao amor, à misericórdia e ao altruísmo.

Que as diversões sejam, apenas, um derivativo em nossa existência — é lícito.

Que o livro vulgar continue alimentando ilusões, intoxicando mentes, plasmando futilidades, roubando horas — é coisa lícita.

Que a visita convencional, formalista, desprovida de sinceridade e carinho, permaneça fomentando a hipocrisia entre os que nela se comprazem — é coisa lícita.

Merece, contudo, nosso apreço o conselho de Paulo: *"Ninguém busque o seu próprio interesse; e sim o de outrem"*. (*I Coríntios*, 10:24.)

O homem ou a mulher que, apesar de imperfeitos, buscam, no cumprimento de suas obrigações espirituais, a própria edificação, pela compreensão de que, na vida terrestre, tudo passa, devem continuar preferindo o comportamento construtivo.

A visita fraterna, sempre que possível.

A leitura substanciosa.

As tarefas do bem.

Os labores do Evangelho e da Doutrina.

O estudo e o trabalho, enfim.

Assim convém ao Espírito já desperto, em processo de plenificação cristã.

No lugar das diversões excessivas, há muita coisa útil a fazer.

A visita ao hospital, onde o desvalido permanece esquecido.

Ao amigo enfermo ou acossado por um problema moral, ansiando por um instante de prosa confortadora, ao leito do sofrimento, que a distração ou a falta de tempo da maioria olvida.

Em vez do livro comum, prefiramos a obra séria, respeitável, que fale de fraternidade e evolução, imortalidade e progresso, luz e amor.

Obra que enriqueça a inteligência, com benefícios para o interesse de outrem.

Não mais a visita convencional; agora, a solidariedade aos que sofrem.

A palavra carinhosa no leito do moribundo.

O gesto afetuoso e compreensivo, simples e espontâneo, para com o criminoso que a sociedade despreza.

O reconforto à viúva que chora, com os filhos, a ausência do esposo que se foi na grande viagem.

*

Todo esforço no sentido da autoespiritualização é lucro para a alma eterna.

Toda redução de futilidades constitui, inegavelmente, um passo à frente na senda libertadora.

Contra os nossos anseios de crescimento — asseguram os instrutores espirituais — conspiram milênios de sombra.

A jornada de ascensão se realiza "sob a cruz de sucessivos testemunhos" — avisa-nos a bondade de Emmanuel.

Mas o verbo dos amigos devotados ressoa ainda mui fragilmente em nossa consciência.

Ainda buscamos, avidamente, o interesse próprio, em detrimento do alheio, desatentos ao conselho do Apóstolo.

Temos dificuldade em conjugar, em todos os seus tempos e modos, o verbo "servir".

O serviço, para nós, constitui, ainda, uma disciplina — abençoada disciplina que nos afeiçoará, gradualmente, ao estado de ajudar espontaneamente.

Não temos espírito de renúncia.

Temos dificuldade em sacrificar-nos pelo próximo.

Se preferirmos, porém, o conveniente ao lícito, o edificante ao permitido, o proveitoso e útil ao simplesmente agradável, atingiremos, com certeza, a nossa sublime destinação dentro da Eternidade.

A destinação do bem e da moral. Da sabedoria e do amor, com o Mestre da cruz...

Outras esferas, outros mundos, outros sóis, aguardam que aprendamos, aqui, a lição da renúncia e do desinteresse.

50
Inferno

"Ali haverá choro e ranger de dentes."

A humanidade de hoje não aceita a clássica definição de inferno, adotada e ensinada por algumas religiões.

Com alguma boa-vontade, pode-se admitir que, no alvorecer dos tempos, quando ainda rastejava o pensamento humano, a tese de um inferno, do qual jamais se sai, tivesse alguma utilidade.

Concedendo, portanto, a semelhante tese um crédito de compreensão e tolerância, em respeito à sua ancianidade, poder-se-ia admitir a sua serventia numa época em que a humanidade se encontrava mergulhada, "de corpo e alma", nos profundos oceanos do obscurantismo.

O homem embrutecido, o homem selvagem, o homem que lutava por atingir o estágio da razão — um homem assim, primitivo, atrasado, possivelmente necessitaria de algo que o atemorizasse, de algo que lhe contivesse os violentos e animalizados impulsos, gerados pela feroz ignorância.

Hoje, contudo, o homem já se esclareceu... embora não se tenha iluminado.

A Ciência realiza, na atualidade, os mais arrojados voos na direção do conhecimento, desnudando audaciosamente da natureza as mais notáveis manifestações.

A Filosofia, por seu lado, não lhe tem ficado atrás no afã de explicar os enigmas da vida e da imortalidade.

A Religião, por sua vez, aliando-se a ambas, desdobra ao Espírito do homem horizontes mais amplos, perspectivas mais belas e consoladoras, no esperançoso cenário da evolução.

O inferno, aceito e difundido pela Teologia, não mais impressiona a ninguém, por absurdo.

As próprias crianças não o levam a sério.

O homem do século XX tem uma concepção única, simples e lógica, para definir o inferno: estado consciencial.

Concepção que a Doutrina Espírita também adota, difunde e prega.

Concepção que assegura a integridade da Justiça divina, a excelsitude do amor do Pai.

Na concepção teológica, é um lugar onde as almas sofrem eternamente; na concepção espírita, é um estado da alma, transitório, efêmero.

De acordo com a Teologia, é objetivo; de acordo com o Espiritismo, é subjetivo.

Com a primeira, foi criado e nele são lançados, eternamente, os infelizes; com o segundo, o homem é quem o cria e nele imerge, temporariamente, vivendo-lhe as emoções e deprimências.

Duas teses, por conseguinte, inconciliáveis.

Os instrutores espirituais, com a sabedoria e a clareza de sempre, ensinam: não há tormentos eternos para os pecadores, mas sim "homens infernais criando infernos para si mesmos".

Quem, portanto, fabrica o inferno para o homem é o próprio homem.

Não seria Deus — ILIMITADO AMOR e INFINITA COMPAIXÃO — quem haveria de engendrar, com requintes de apurada crueldade, como não o faria o mais desumano carcereiro do mundo, tão desalmada prisão para as suas criaturas.

Se a permanência no inferno tivesse a duração de cem, duzentos ou trezentos anos, contanto que lhe dessem um limite qualquer, um final, mesmo demorado, ainda haveria possibilidade de se admitir, no Criador, algum resquício de piedade.

Mas o inferno que afirmam haver Deus reservado aos infelizes — inferno cuja concepção se vai desmoronando como uma casa velha — esse jamais existiu.

Admiti-lo, seria considerar o mais rigoroso pai terrestre muito mais compassivo e generoso que o Pai do Céu...

Entretanto, continuam a ensinar que Deus permite que nele sejam eternamente torturados os seus filhos, num fogo que jamais se apaga.

Jamais se apaga...

Eterno...

Sem-fim...

Seu fogo queima, mas não consome as almas...

Horrível, pavoroso, alucinante!

Mais do que isso: ENLOUQUECEDOR!...

Nele crepitam, incessantemente, rubras labaredas.

Línguas de fogo, vermelhas, atrozes.

E, dentro delas, queimando-se por toda a eternidade, mas sem se consumirem — o que seria uma "sinistra esperança", mas sempre uma esperança — as criaturas que o próprio Deus pôs no mundo para evoluírem.

Amigos, dispamos a crisálida do fanatismo.

Amigos, vistamos a túnica do raciocínio e o ponhamos a funcionar...

O Espiritismo não aceita esse inferno, que nega e destrói o mínimo de amor, bondade, ternura e misericórdia que o amantíssimo Pai poderia ofertar aos seus filhos.

Não aceitamos, bem assim outros religiosos, esse inferno circunscrito, geograficamente delimitado.

Aceitamos, isto sim, o "choro e ranger de dentes" que o Evangelho menciona.

Aceitamos a existência de planos de sofrimento, em várias partes do universo.

De planos inferiores, onde permanecem almas que desrespeitaram as Leis divinas, conspurcaram a moralidade e o bem, menosprezaram a virtude e o saber, até que se disponham, elas mesmas, a receber o auxílio divino, sempre disposto a socorrê-las.

51
Ovelha perdida

"...não deixará ele nos montes as noventa e nove, indo procurar a que se extraviou?"

O tempo de permanência nos planos de sofrimento, depois da morte física, será aquele que a própria criatura quiser, tanto quanto permanecemos num lugar de confusão somente até o dia que desejarmos.

Repitamos, com a ênfase de inabalável convicção: o tempo que a criatura quiser. Meses, anos, decênios ou séculos.

O egoísmo e a perversidade, o ódio e a vingança elaboram, sem que o homem o perceba, a sua própria condenação.

A consciência culpada de hoje cairá, amanhã, no inferno que o remorso criou.

E, caindo nesse inferno, extraviando-se, sintonizar-se-á com milhares de consciências culpadas que se lhe afinem com a invigilância e o crime.

As zonas de sofrimento, na Espiritualidade, estão repletas de almas infernizadas. Abarrotadas de ovelhas que abraçaram o mal e nele se chafurdaram largo tempo.

Egoístas e invejosos, perversos e vingativos, avarentos e sensuais — eis a infeliz população desses planos vibratórios ligados à crosta e à subcrosta da Terra.

Deles, contudo, poderão sair quando assim o permitirem as suas próprias forças.

O Pastor amoroso busca, ansiosamente, a ovelha descuidada, pois lhe conhece a fragilidade.

Falanges de Samaritanos excursionam, em nome do Cristo e por sua inspiração, incansável e permanentemente, pelos sombrios vales do plano extrafísico, onde vegetam, em horrível promiscuidade, milhões de criaturas.

Aquelas, todavia, que venham a abrir o coração ao arrependimento sincero, dali sairão nos braços amoráveis de sublimes mensageiros do Pai, que não deseja se perca uma só de suas ovelhas.

Tão logo se disponha o ser infeliz a renovar-se, imediatamente cessará o "seu" inferno.

A criação e destruição do inferno dependem, em princípio, do próprio homem.

Nada de tormentos eternos nem de labaredas queimando sem consumir, traduzindo um processo de castigo que o menos piedoso algoz do mundo teria vergonha de inventar.

E, muito menos, de mantê-lo... como pretendem que Deus o venha fazendo.

As "trevas", a que tantas vezes se referiu Jesus, são o produto exclusivo do desequilíbrio mental de milhões de seres infelizes.

Essas almas fracassadas permanecerão, de fato, nessas "trevas", até o dia em que o desejarem.

Mais corretamente, em linguagem doutrinária: até o momento em que tenham forças para se reajustarem mentalmente.

Até o instante em que venham a oferecer, em definitivo, o santuário do coração às renovadoras bênçãos do arrependimento sincero e da humildade cristã.

O homem evangelizado, que se harmoniza com Deus e com a própria consciência, jamais viverá nas "trevas".

Poderá ir até elas, para ajudar e socorrer os infelizes que, por invigilância, nelas se precipitaram.

Pertença a esta ou àquela religião, ou mesmo a nenhuma, se o homem for bom e digno, caridoso e puro, honesto e moralizado, nunca viverá nessas "trevas".

52
Céu

"Não vem o reino de Deus com visível aparência."

São inconciliáveis os conceitos doutrinários de Céu, aceitos e esposados pelo Espiritismo, com os pregados e afirmados por algumas religiões.

Para essas religiões, o Céu é, também, à maneira do inferno, um lugar determinado, circunscrito, delimitado.

Uma zona geográfica, na Espiritualidade, onde a beatitude e a contemplação nos falam de um Deus comodista, para não dizer preguiçoso.

Tal conceito teológico de Céu, como se vê, é tão absurdo e inaceitável quanto o de inferno.

Entidades angélicas, ao som de harpas dolentes, distraindo aqueles que tiveram meios e recursos para receber na Terra, de mãos nem sempre puras, um passaporte para as regiões imaculadas do Infinito...

Realmente não se pode dizer que tal ambiente, com anjos, música e claridades, seja desagradável; mas ninguém lhe pode negar, também, a monotonia, a sonolência, a algidez, a prejudicialidade.

É tão impossível, no presente século, crer no sofrimento eterno, nas labaredas que se não extinguem, como crer na felicidade inoperante, sem dinamismo e sem fim, num Céu onde não haja trabalho e renovação.

O Espiritismo aceita e prega uma definição ativa do Céu, compatível, aliás, com a lei evolutiva que rege *todos os fenômenos da Vida*.

O Céu, para os espíritas, é também um estado consciencial.

Um estado consciencial superior, refletindo o clima psíquico, a realidade mental de quem passou pelo mundo fazendo o bem.

Não seria justo, nem lógico, nem racional, que o indivíduo que se moralizou, se dignificou no trabalho, se engrandeceu, moral e espiritualmente, tenha como prêmio, depois da morte do corpo, a pior coisa do mundo, o mais triste castigo que se pode infligir a um ser humano: NÃO FAZER NADA!

Ouvir, simplesmente, suavidades musicais...

Deleitar-se, apenas, com a beatífica visão de um Céu parado, sem luta e sem esforço, de um Céu sem realização e sem trabalho.

O Espiritismo ensina que há incontáveis regiões no universo inteiro — e não apenas em certos pontos geográficos — onde almas elevadíssimas se congregam pela harmonia de sentimentos, construindo assim, elas mesmas, transcendentes mundos de transcendente felicidade, verdadeiros céus, zonas inacessíveis às almas impuras (até que se aperfeiçoem), onde a Vontade de Deus distribui missões grandiosas, visando ao progresso das humanidades.

"Rezam as tradições do mundo espiritual que na direção de todos os fenômenos, do nosso sistema, existe uma comunidade de Espíritos puros e eleitos pelo Senhor supremo do universo, em cujas mãos se conservam as rédeas diretoras da vida de todas as coletividades planetárias" — escreve Emmanuel, em *A caminho da luz*, cap. I.

Essas zonas não se destinam a A, B ou C, mas a todas as criaturas de Deus — espíritas, católicos ou protestantes — desde que se redimam, que se afeiçoem, em definitivo, ao Cristo, desde que se integrem no programa evangélico da virtude e do conhecimento, da renovação e do trabalho.

Todos nós viveremos, um dia, nessas regiões, quando o superior estado de nossas consciências assim o permitir.

Todos conheceremos, mais tarde, essa plenitude divina.

O progresso abrange a universalidade dos seres.

Os tiranos do mundo, os criminosos de todos os matizes, os infelizes de toda espécie, as prostitutas, os ateus e materialistas — todos alcançarão, um dia, as celestes bem-aventuranças.

O Pai não deserda nenhum dos seus filhos.

"*Nenhuma das ovelhas que o Pai me confiou se perderá*" — assegurou Jesus com a doce autoridade de sua grandeza.

As almas infernizadas de hoje serão amanhã as almas sublimadas pelo amor e pela sabedoria, porque a evolução é lei impessoal, adogmática, sem sectarismo:

A evolução abrange, universalmente, todos os seres.

O homem *pode retardar* o cumprimento dessa lei por algum tempo — anos e séculos.

Um dia, porém, quando se abrir na sua consciência uma pequena brecha, por menor que seja, a força dessa lei impulsioná-lo-á, irresistivelmente, para o Alto Destino que lhe está reservado.

53
Tesouro oculto

"O reino de Deus está dentro de vós."

Interrogado, certa vez, pelos fariseus, quando viria o reino de Deus, explicou-lhes Jesus que o reino de Deus estava "dentro deles".

De acordo com as palavras do Mestre, o reino de Deus está, encoberto, dentro de nós.

Dentro dos fariseus, homens formalistas, insinceros, como também dentro dos discípulos, homens evangelizados, francos e leais.

Nos redutos mais íntimos de nossa consciência.

No santuário de nosso coração.

Nas entranhas mais profundas de nossa individualidade espiritual.

Cabe-nos, pois, unicamente, o dever e o esforço de sua descoberta, a fim de que seja abreviada a nossa felicidade.

"O Reino dos céus é semelhante a um tesouro oculto no campo, o qual certo homem, tendo-o achado, escondeu. E, transbordante de alegria, vai, vende tudo o que tem e compra aquele campo." (*Mateus*, 13:44.)

Como se vê, há quem ainda não o tenha, há quem já o possua, porém há recursos para que todos o possam adquirir pelo esforço próprio.

"*O Reino dos céus é também semelhante a um negociante que procura boas pérolas; e, tendo achado uma pérola de grande valor, vendeu tudo o que possuía e a comprou.*" (*Mateus*, 13:45 e 46.)

Deduz-se, da palavra do Senhor, que o Céu é a mesma coisa que o reino de Deus.

Quando tivermos adquirido compreensão e virtudes capazes de nos levar à integração com o pensamento evangélico, entraremos no gozo, na posse das primícias celestiais.

Enquanto não sentirmos paz dentro de nós — fiquemos sabendo que o Céu não está em nós, nem nós estamos no Céu.

O reino de Deus ainda não foi por nós descoberto.

O tesouro permanece oculto — nós ainda não o vimos.

A pérola já se encontra à venda — mas o negociante ainda não a encontrou.

Céu é quietude interior, quer estejamos encarnados ou desencarnados.

O Céu está na consciência isenta de remorsos.

Na mente sintonizada com o Alto.

No coração incessantemente devotado ao trabalho edificante.

Na alma sinceramente resignada na dor.

Quando a soma dessas "realidades espirituais" houver trazido quietude e serenidade ao nosso coração — teremos descoberto, dentro de nós, o reino de Deus.

Seremos como o homem que, transbordante de alegria, vendeu tudo o que tinha e comprou o campo onde estava oculto o tesouro.

Ou como o negociante que, jubiloso, vendeu tudo o que possuía e comprou a pérola.

Estaremos, pois, no Céu.

E as palavras de Jesus — *"O reino de Deus está dentro de vós"* — estarão, obviamente, confirmadas.

Plenamente confirmadas, como não podia deixar de ser...

54
Inovações

"Colhei primeiro o joio, e atai-o em molhos para o queimar."

Observa-se em alguns setores de nosso movimento o hábito de aplaudir oradores espíritas em reuniões essencialmente doutrinárias, evangélicas.

Há quem afirme que, em alguns estados, confrades nossos não mais podem levantar sem que estrujam cruciantes e cruciadoras palmas.

Há palmas quando o presidente da reunião se dirige à mesa, palmas quando a compõe, palmas quando o conferencista se levanta, palmas depois da prece.

Os efeitos desses aplausos são sempre maléficos: ou o orador se desconcerta, prejudicando a tarefa a desempenhar, ou sai dali atacado pela doença da vaidade.

É de justiça se ressalte, entretanto, que as instituições reagem, delicadamente, contra semelhante hábito, oriundo, via de regra, de companheiros bem-intencionados e corteses, mas que, nem por isso, deixam de atentar contra a singeleza dos centros espíritas, onde deve predominar recolhimento espiritual que favoreça a paz interior.

Seria admirável se as reuniões tivessem, como deseja a maioria das instituições espíritas, a simplicidade dos primeiros ágapes do Cristianismo, nas igrejas, em humildes residências e no cenário da natureza — Livro divino onde a Infinita sabedoria e o Infinito poder se refletem soberanamente.

Seria confortador, especialmente para os conferencistas, se, durante e após as reuniões, notassem nelas alguma analogia com as tertúlias que os discípulos — almas abertas ao sol da humildade, corações desfolhando, em reciprocidade amorosa, as pétalas de rosa da fraternidade — realizavam na Casa do Caminho, onde a palavra do esclarecimento e da consolação não se fazia ao preço amargo de inoportunos e chocantes aplausos.

Os aplausos que se manifestam, em forma de palmas retumbantes, são, a nosso ver, o joio do formalismo sufocando o trigo da simplicidade.

Os elogios insinceros, verbais ou escritos, expressando outra forma de aplaudir, podem ser o joio do orgulho ameaçando o trigo da humildade que desponta, fragilmente, na sementeira do coração humano.

Evidentemente, a palavra de estímulo fraterno e encorajador dirigida, cordial, mas discretamente, ao seareiro esforçado, não se pode, nem se deve classificar à conta de elogio insincero.

Uma e outro se distinguem com relativa facilidade.

Felizmente, quase todas as instituições espíritas cristãs desaprovam, no Brasil inteiro, o elogio chocante, o aplauso retumbante.

Na maioria dos Centros, as últimas palavras do orador são recolhidas em respeitoso silêncio — em augusto silêncio. Entre outras, na Federação Espírita Brasileira.

Em Pedro Leopoldo, no Centro Espírita "Luiz Gonzaga", ninguém jamais se animou a quebrar, com elogios e palmas, a harmonia das tarefas ali realizadas.

E quando a invigilância de alguém suscita referências descabidas, o diretor Espiritual, respeitável e digno, elevado e nobre, interrompe o precioso serviço do receituário, e, pelo próprio médium, transmite o recado cortês, mas incisivo: "Recomendamos a abstenção de referências pessoais. Somos, apenas, trabalhadores de boa vontade".

Por que aplaudir o conferencista? Em pagamento ao seu trabalho? Pelo brilho e acerto com que se houve, no desempenho da tarefa?

Como assim, se é digno o trabalhador não somente pelo brilhantismo da palavra eloquente, mas também — e especialmente — pela sinceridade com que se comporta!?...

Se foi realmente proveitoso o trabalho do companheiro, testemunhemos, em silêncio, nossa gratidão a Jesus, que o inspirou por intermédio de carinhosas e anônimas entidades.

Se escreveu e leu uma bela página, recordemos que a inteligência lhe fora dada por Deus, e que a Deus, portanto, eterna fonte de toda a sabedoria, devem dirigir-se os nossos e os agradecimentos do conferencista.

Escrevendo ou improvisando, o conferencista é sempre um instrumento das forças espirituais, que se associam, bondosamente, à cultura e ao talento, ao esforço e à boa vontade do elemento encarnado.

Assim sendo, não sabemos por que palmas, elogios, aplausos.

Seria mais adequado deixássemos palmas e elogios para agremiações literárias ou artísticas, parlamentos ou convenções políticas, reuniões onde se reivindicam situações que elogios e palmas aparecem por estimulantes necessários.

Conferências fora dos centros espíritas — que para nós têm o sentido de templo, de igreja — justificam palmas, oriundas, que o são, de auditórios pouco familiarizados com a simplicidade de nossas reuniões.

Números de Arte — música ou poesia — em reuniões espíritas-sociais que os Centros por vezes realizam justificam tais efusões, até um ponto, naturalmente, em que a moderação não seja esquecida.

Tais manifestações tornam-se, no entanto, inconvenientes — ou melhor: inconsequentes — quando a tarefa é essencialmente evangélica, doutrinária.

Este é o nosso modo de pensar.

Seria interessante que se fizesse alguma coisa no sentido de queimar o joio antes que ele, fortalecido, se enraíze, dominando, inteiramente, a sementeira espírita cristã.

O Espiritismo é doutrina de conteúdo e finalidade nitidamente espirituais.

Reclama, de todos nós, idealismo e sinceridade, renovação e operosidade.

As casas espíritas são igrejas, templos, santuários onde nos reunimos em nome do Cristo e com o objetivo de difundir-lhe o pensamento divino.

Manifestações ruidosas assentam, perfeitamente, em solenidades públicas, onde, via de regra, se entronizam vaidades e se evidenciam personalidades profanas.

Segundo a nossa maneira de ver, devemos colaborar com as instituições neste sentido: neutralizar, delicada mas perseverantemente, esse hábito que irmãos de boa vontade vão infiltrando nos serviços doutrinários e evangélicos, ameaçando, sutilmente, a simplicidade cristã.

Simplicidade que não pode nem deve ausentar-se de nossos plenários de estudos e meditação.

55
Jesus em Betânia (I)

"E uma mulher, chamada Marta, hospedou-o em sua casa."

Uma das mais belas ocorrências evangélicas é a que se desenrola em Betânia, pitoresca aldeia da Judeia, por ocasião da visita do Mestre à casa de Marta e Maria.

Tudo nela é grandioso e comovente, pela simplicidade de que se reveste o divino acontecimento.

A localidade singela, a casinha modesta e os elegantes contornos do Monte das Oliveiras formam a sugestiva paisagem exterior, emoldurada por um crepúsculo de incomparável beleza.

Lá dentro, possivelmente sob o percuciente olhar de vizinhos e curiosos, duas jovens irmãs, espiritualmente distanciadas entre si, acolhem o Mestre compassivo.

Maria, assentada aos pés de Jesus, ouve-lhe, embevecida, os ensinamentos; Marta, afanosa, inquieta, ia e vinha arrumando as coisas e preparando frugal repasto para o Hóspede celeste, que se dignara transpor-lhe os umbrais domésticos.

No centro da conversação, majestoso e sereno, com os cabelos a lhe envolverem os ombros, o divino Amigo distribuía os tesouros da sua sabedoria, enunciando parábolas encantadoras e alegorias de valioso significado.

A sua palavra harmoniosa pairava no singelo aposento, saturando-o de suave magnetismo e sublimes vibrações.

Preceitos de humildade, incentivos ao perdão, magníficas noções de fraternidade, advertências justas e oportunas, doces consolações e incisivas referências à necessidade do trabalho construtivo, fluíam, abundantes, dos lábios imáculos de nosso Senhor.

Quando se verificava uma trégua na pregação sem atavios de retórica, respeitoso silêncio dominava o recinto, realçando a tocante solenidade daquela hora memorável.

*

Maria conservava-se assentada aos pés do Mestre, embriagada de amor evangélico, sonhando os mais belos sonhos de que era capaz o seu formoso coração. A presença de Jesus na rústica habitação de Betânia representava, para o seu idealismo, glorioso minuto, maravilhosa oportunidade de elevação que sua alma sensível não desejava perder.

O espírito de Maria vibrava em planos superiores, ansioso por algo que tivesse, sobretudo, um sentido de permanente beleza e radiosa eternidade. De menor importância lhe parecia, naquele momento, estivesse sua irmã atarefada, entrando e saindo, no preparo do caldo reconfortante com que procurava honrar a pessoa augusta do Mestre.

Jesus continuava falando, falando...

Aquela suave e ao mesmo tempo enérgica inflexão de voz tinha o dom de prender, de magnetizar docemente a todos que dele se aproximavam, a todos que o escutavam.

Num dos instantes em que o Senhor exalçava o trabalho, a generosa e simpática figura de Marta detém-se na sala, agora convertida num minúsculo plenário de luz.

Observando a irmã enlevada diante de Jesus — esquecida de tudo e alheia a todos — e ouvindo-lhe as derradeiras referências sobre o dever bem cumprido, na pauta das obrigações comuns, interpela-o, em tom queixoso: *"Senhor, não te importas que minha irmã tivesse deixado que eu fique a servir sozinha? Ordena-lhe, pois, que me venha ajudar"*. (*Lucas*, 10:40.)

Podemos imaginar a surpresa de todos no momento em que Jesus era diretamente convidado a opinar sobre um problema trivial, rotineiro, inerente às duas dedicadas anfitriãs.

Que iria responder o Mestre?

Exprobraria o procedimento da moça que ficara a seus pés, indiferente ao esforço da irmã?

Censuraria Marta, por se mostrar tão ciosa dos deveres terrenos em detrimento dos espirituais?

Louvaria a dedicação da primeira, que se mostrava tão profundamente interessada nas Verdades por Ele anunciadas?

Como opinaria o Mestre — perguntavam, cada um a si mesmo, os circunstantes, inclusive Marta e Maria...

Alguns instantes transcorreram e as palavras de Jesus ecoaram no aposento, com imensa ternura e infinita compreensão: *"Marta! Marta! andas inquieta e te preocupas com muitas coisas"*. (*Lucas*, 10:41.)

O Mestre não censura Marta. Não a recrimina.

Não lhe ironiza a ambliopia mental.

Não lhe diz, em tom de humorismo, que se acha presa às coisas terrestres.

Bondosamente adverte-a por sua inquietação ante problemas de rotina — inquietação que revela um estado espiritual ainda inseguro, vacilante, indeciso.

Falou-lhe, em seguida, da *melhor parte*, escolhida por Maria, desdobrando ao espírito da jovem um ângulo de vida ainda inexplorado pela sua mente mais apegada às coisas passageiras do mundo.

56
Jesus em Betânia (II)

*"Marta e Maria
Marta! Marta! andas inquieta..."*

Há na existência humana — na existência de toda criatura — duas partes: a *material*, representada pelas obrigações que a própria vida impõe, e a *espiritual*, representada pelos deveres relacionados com a alma eterna.

Ambas são respeitáveis, porque integram o conjunto de necessidades humanas, decorrentes da própria vida em sociedade.

A mulher e o homem, o velho e a criança, o pobre e o rico, a autoridade e o subalterno, o letrado e o analfabeto vivem as duas partes.

O que as distingue, contudo, é que uma tem caráter efêmero e a outra tem caráter definitivo.

A parte material de nossa vida, em que pese à sua respeitabilidade, é passageira, é transitória.

A parte espiritual é eterna, imortal, imperecível.

A inquietação de Marta indica apreço maior à parte material, tanto assim que se não preocupa com as sublimes lições que o Mestre distribui, com abundância — e que Maria absorve, sequiosa.

À medida que a criatura vai *sentindo* a parte espiritual, começa a existir nela mesma, do *lado de dentro*, uma quietude, um sossego, uma profunda e inalterável calma no trato com a outra parte — a material.

Foi o caso de Maria.

Não ignorava que a arrumação do aposento e o próprio repasto podiam ser adiados — sem prejuízo para os interesses eternos.

Podiam ficar para depois, a fim de que se não perdesse o alimento divino que Jesus ofertava.

O abençoado minuto da visita do Cidadão celeste representava ocorrência fundamental, inadiável, que, possivelmente, nunca mais se repetisse.

O Mestre deveria seguir o seu caminho, demandando outras aldeias e outras gentes, a espalhar luz em profusão e bênçãos em abundância.

Urgia, portanto, não se perdesse uma só de suas palavras, um só dos seus ensinamentos.

Esse era o conceito de Maria, a respeito da visita de Jesus à sua casa...

*

Há muita gente no mundo na posição de Marta: generosa e fraterna, mas inquieta, agitada, desassossegada ante as coisas perecíveis.

Muito poucos seguem o exemplo de Maria, que, acordada para a Verdade, mostrava-se quieta por dentro e por fora, superior aos problemas efêmeros, sem, contudo, desprezar-lhes a valia relativa.

A advertência do Mestre conserva, ainda hoje, a sua oportunidade.

É necessário impere em nós o *espírito calmo de Maria*, inclinado às coisas infinitas, a fim de que as *inquietações finitas de Marta* nos não impeçam de ouvir, sem enfado, os conselhos do Mestre — que o Evangelho trouxe e o Espiritismo revive.

O Evangelho, que o Senhor pregava naquela hora a Maria e a Marta, continua sendo o tema de mais fundamental importância para a nossa alma.

Por meio de suas lições, sentidas e exemplificadas, caminharemos para o progresso, alcançaremos a luz.

Os problemas mundanos, sem que os depreciemos, nem lhes diminuamos o valor, atendem, apenas, ao instante que passa.

Jesus — no conceito de Maria — era uma realidade que ela desejava perenizar na sua alma; um tesouro que não lhe devia fugir dos olhos e do coração.

Jesus — no conceito de Marta — era um hóspede celeste, cuja presença deveria honrar, naquele instante.

Os serviços domésticos constituíam, para a jovem afanosa, elemento inadiável.

O Cristo respeitou, carinhosamente, a imaturidade da moça de Betânia, tanto que se limitou a realçar-lhe a inquietação, tentando reajustá-la: "*Marta! Marta! andas inquieta e te preocupas com muitas coisas*".

Identificou-lhe, com ternura, a infância espiritual.

Sabia-a despreparada para remígios mais altos, como novata das coisas espirituais.

Não a censurou nem a recriminou. Apenas aconselhou-a, com delicadeza, a que se acalmasse.

E, sem exaltar a vantajosa posição de Maria, para não lhe prejudicar o gérmen do entendimento superior, esclarece: "*Maria, pois, escolheu a boa parte e esta não lhe será tirada*". (*Lucas*, 10:42.)

57
Jesus em Betânia (III)

A melhor parte

"...e esta não lhe será tirada."

Expressiva a informação de Jesus a Marta, de que Maria escolhera a melhor parte, a que não lhe seria tirada.

Compreensão espiritual é patrimônio inalienável.

Não pode ser dado, nem vendido, nem trocado, nem tirado por quem quer que seja.

Ninguém pode anular, ou extinguir no homem a compreensão espiritual que ele adquiriu, mediante experiências pessoais, sucessivas, que se perdem na noite dos milênios sem conta.

O entendimento das coisas do espírito é como o talento e a cultura, o bem e a moral: incorporam-se, com o tempo, de maneira plena e definitiva, ao ser humano, como fruto de experiência individual.

O homem entende, *porque sabe*.

O homem entende, porque sente, exemplifica e vive, em pessoa, esse entendimento que não se pode definir por meio de palavras.

As inquietações que constantemente nos visitam o coração, nas lutas cotidianas, em forma de ansiosa solicitude pelos problemas e soluções terrestres, significam que ainda estamos sintonizados com as *Martas do mundo* e em dissonância com as *Marias do Céu*.

A cena tocante, no lar de Betânia, embora remonte a quase dois milênios, deve merecer especial consideração da parte de todos nós — aprendizes do Evangelho, estudiosos do Espiritismo e aspirantes à luz da imortalidade gloriosa.

O tempo não esmaece nem apaga as lições cristãs.

O entendimento revela-se, evidencia-se no discernimento.

Discernimento claro, entendimento superior.

Há uma proporção no apreço às coisas do mundo e às coisas do Céu.

O homem demonstrará haver superado a órbita da materialidade a partir do instante em que a percentagem do seu interesse pelas coisas espirituais se eleva a cinquenta.

Cinquenta por cento para a parte material e cinquenta para a espiritual representam a chamada "linha de transição".

Quando a individualidade humana sente — ela própria, e não os outros — que oferece, do seu coração, sessenta por cento de interesse às coisas espirituais e quarenta às materiais, podemos dizer que foi superada a difícil, a nevrálgica fase de transição.

Há progresso em andamento.

Quando houver a proporção de oitenta por cento para o espírito e vinte por cento para a matéria, podemos dizer que, na maratona evolutiva, o atleta vai bem.

A meta definitiva — "cem por cento espiritualidade" — define o homem que triunfou sobre si mesmo.

É o instante em que o espírito humano — viajor da Eternidade — pode escrever o Poema Universal da "Vitória do homem sobre si mesmo", assimilando, assim, a palavra do Cristo: *"Sede perfeitos, como perfeito é o Pai celestial"*. (*Mateus*, 5:48.)

Na conquista dessa posição, para a qual estamos ainda profundamente imaturos, é necessário o discernimento na escolha da *melhor parte*.

Da parte espiritual — esta que *ninguém pode tirar...*

58
A GRANDE ESPERANÇA

"Nenhuma das ovelhas que o Pai me confiou se perderá."

As gerações atuais percebem que os grandes problemas da fraternidade humana continuam praticamente insolúveis, apesar do esforço e do trabalho dos homens de boa vontade.

O homem de hoje quer ver para observar.

Observar — para deduzir.

Deduzir — para conhecer.

Conhecer — para aceitar.

Aceitar — para sentir.

Sentir, afinal — para ser feliz...

A sua análise, a sua observação e o seu conhecimento resultaram, inevitavelmente, na falência de quase tudo quanto o critério científico recusou.

No sepultamento, pelo próprio homem, que permanecera séculos sem conta embalado no sonho e na fantasia, de tudo quanto a lógica e o bom senso repeliram.

No desapreço por tudo que lhe não traga uma esperança definida, um sossego concreto, uma paz indestrutível.

A falência, o sepultamento e o desapreço por essas religiões e filosofias alicerçadas em fórmulas perecíveis, que atestam a mutação e fragilidade dos valores simplesmente humanos, vieram, apenas, impregnar no espírito das gerações hodiernas a suspeita de que tudo estaria irremediavelmente perdido.

A humanidade, por conseguinte, tem o direito de pedir alguma coisa em favor de sua felicidade.

De exigir aquilo que lhe tem sido negado ou proporcionado de modo incompleto, restrito, dúbio: o bendito refúgio da paz interior!

O suave ancoradouro da fé!

A humanidade precisa de um novo roteiro, onde possam as criaturas de Deus palmilhar, indissoluvelmente unidas, num amplexo de confiança e ternura, os caminhos do aperfeiçoamento.

O Espiritismo, como revivescência do Cristianismo, veio dizer à humanidade que nosso Senhor Jesus Cristo, ante o futuro, ora e trabalha.

O Mestre está no leme!

Quando mais procelosas forem as ondas, quando mais intenso for o desequilíbrio — um clangor sublime de trombetas convocará o Grande Exército da Luz para o triunfal, definitivo combate contra as trevas.

Cristo é a Grande Esperança!

*

No auge da confusão, os pegureiros do Bem levantarão a candeia que iluminará, por todo o sempre, as estradas humanas.

O invencível estandarte cristão, grandioso e divino, reconduzirá ao aprisco da consolação as ovelhinhas que o Pai celeste confiou ao coração amorável do sublime Nazareno — o doce Filho de José e Maria.

O Mestre da túnica inconsútil.

O Anjo das singelas alpercatas.

Os trabalhadores da última hora empunharão o facho da Boa Nova, a fim de espalharem na Terra, fertilizada pelo suor de amargas experiências, a semente do trabalho redentor.

Sem deturpações, sem formalismos — porque formalismos e deturpações desmoronaram as doutrinas que a vaidade humana alimentara.

Amparada a Boa Nova da Imortalidade no adubo da fé e da simplicidade, para que o orgulho e a prepotência não a sufoquem, a vicejante planta, que a Palestina viu nascer, converter-se-á na frondosa árvore do amanhã luminoso.

Jesus Cristo é a Grande Esperança.

A sua promessa mantém inquebrantável o ânimo dos que despertaram ante o sol radioso da Verdade: "*Nenhuma das ovelhas que o Pai me confiou se perderá*".

Acima — muito acima da incompreensão e do exclusivismo dos homens — reinará sempre, imutável e soberana, sábia e equânime, a justiça do Criador.

E, no Tabor das mais sublimes aspirações humanas, drapejará, impávida e luminosa, a Bandeira do Cristianismo vitorioso no coração da humanidade — a grande esperança.

Conclusão

O Evangelho, comentado à luz do Espiritismo, é o mais autêntico roteiro de que podemos dispor, hoje e sempre, para a equação, pacífica e feliz, dos problemas humanos.

Com ele, tudo é claridade e paz, alegria e trabalho, harmonia e entendimento, luz e progresso.

Sem ele, nublados são os dias e gélidas as madrugadas.

Com ele, a inteligência e a cultura edificam para a vida que não perece, descortinando os panoramas da perfeição.

Sem ele, cultura e inteligência erguem tronos à presunção, que é filha dileta do orgulho.

Com ele, a fortuna constrói o progresso, estimula a prosperidade, estende as bênçãos do socorro fraterno àqueles que a velhice pobre e a infância desvalida colocam à margem da felicidade.

Sem ele, os recursos materiais provocam a arteriosclerose espiritual, favorecem a expansão do egoísmo — "monstro devorador de todas as inteligências" —

incentivam a prepotência, retêm a alma nos alucinantes abismos da usura.

A boa direção e o êxito de todos os empreendimentos humanos têm por base, substancialmente, intrinsecamente, o Cristo e seu Evangelho.

É sempre oportuno, pois, difundirmos a palavra do Senhor, com sinceridade e respeito, através da migalha do nosso esforço, a fim de que prossigamos, apesar de nossas imperfeições e necessidades, buscando o melhor.

O imperativo de hoje e dos séculos que se aproximam é o mesmo de ontem: para a frente e para o alto, na direção dos sublimados destinos de nossa alma em trânsito para a luz!

A nossa contribuição consiste sobretudo no incitamento a nós mesmos e a quantos se interessam pela aquisição dos valores que não perecem, no sentido de que as nossas lutas e problemas, aflições e canseiras, empreendimentos e responsabilidades nos encontrem sempre a postos:

Vigilantes e operosos.

Sinceros no aprendizado comum.

Leais aos propósitos de evolução.

Assimilando as lições que a vida escreve.

Estudando o Evangelho...

CARIDADE: AMOR EM AÇÃO

SEDE BONS E CARIDOSOS: essa a chave que tendes em vossas mãos. Toda a eterna felicidade se contém nesse preceito: "Amai-vos uns aos outros". KARDEC, Allan. *O evangelho segundo o espiritismo*, cap. 13, it. 12.

A Federação Espírita Brasileira (FEB), em 20 de abril de 1890, iniciou sua *Assistência aos Necessitados* após sugestão de Polidoro Olavo de S. Thiago ao então presidente Francisco Dias da Cruz. Durante oitenta e sete anos, esse atendimento representava o trabalho de auxílio espiritual e material às pessoas que o buscavam na Instituição. Em 1977, esse serviço passou a chamar-se Departamento de Assistência Social (DAS), cujas atividades assistenciais nunca se interromperam.

Desde então, a FEB, por seu DAS, desenvolve ações socioassistenciais de proteção básica às famílias em situação de vulnerabilidade e risco socioeconômico. Fortalece os vínculos familiares por meio de auxílio material e orientação moral-doutrinária com vistas à promoção social e crescimento espiritual de crianças, jovens, adultos e idosos.

Seu trabalho alcança centenas de famílias. Doa enxovais para recém-nascidos, oferece refeições, cestas de alimentos, cursos para jovens, serviços de convivência e fortalecimento de vínculos para idosos e organiza doações de itens que são recebidos na Instituição e repassados a quem necessitar.

Essas atividades são organizadas pelas equipes do DAS e apoiadas com recursos financeiros da Instituição, dos frequentadores da Casa e por meio de doações recebidas, num grande exemplo de união e solidariedade.

Seja sócio-contribuinte da FEB, adquira suas obras e estará colaborando com o seu Departamento de Assistência Social.

O EVANGELHO NO LAR

Quando o ensinamento do Mestre vibra entre quatro paredes de um templo doméstico, os pequeninos sacrifícios tecem a felicidade comum.[1]

Quando entendemos a importância do estudo do Evangelho de Jesus, como diretriz ao aprimoramento moral, compreendemos que o primeiro local para esse estudo e vivência de seus ensinos é o próprio lar.

É no reduto doméstico, assim como fazia Jesus, no lar que o acolhia, a casa de Pedro, que as primeiras lições do Evangelho devem ser lidas, sentidas e vivenciadas.

O espírita compreende que sua missão no mundo principia no reduto doméstico, em sua casa, por meio do estudo do Evangelho de Jesus no Lar.

Então, como fazer?

Converse com todos que residem com você sobre a importância desse estudo, para que, em família, possam compreender melhor os ensinamentos cristãos, a partir de um momento de união fraterna, que se desenvolverá de maneira harmônica e respeitosa. Explique que as reflexões conjuntas acerca do Evangelho permitirão manter o ambiente da casa espiritualmente saneado, por meio de sentimentos e pensamentos elevados, favorecendo a presença e a influência de Mensageiros do Bem; explique, também, que esse momento facilitará, em sua residência, a recepção do amparo espiritual, já que auxilia na manutenção de elevado padrão vibratório no ambiente e em cada um que ali vive.

Convide sua família, quem mora com você, para participar. Se mora sozinho, defina para você esse momento precioso de estudo e reflexões. Lembre-se de que, espiritualmente, sempre estamos acompanhados.

Escolha, na semana, um dia e horário em que todos possam estar presentes.

O tempo médio para a realização do Evangelho no Lar costuma ser de trinta minutos.

---

[1] XAVIER, Francisco Cândido. *Luz no lar*. Por Espíritos diversos. 12. ed. 7. imp. Brasília: FEB, 2018. Cap. 1.

As crianças são bem-vindas e, se houver visitantes em casa, eles também podem ser convidados a participar. Se não forem espíritas, apenas explique a eles a finalidade e importância daquele momento.

O seguinte roteiro pode ser utilizado como sugestão:

1. Preparação: leitura de mensagem breve, sem comentários;
2. Início: prece simples e espontânea;
3. Leitura: *O evangelho segundo o espiritismo* (um ou dois itens, por estudo, desde o prefácio);
4. Comentários: breves, com a participação dos presentes, evidenciando o ensino moral aplicado às situações do dia a dia;
5. Vibrações: pela fraternidade, paz e pelo equilíbrio entre os povos; pelos governantes; pela vivência do Evangelho de Jesus em todos os lares; pelo próprio lar...
6. Pedidos: por amigos, parentes, pessoas que estão necessitando de ajuda...
7. Encerramento: prece simples, sincera, agradecendo a Deus, a Jesus, aos amigos espirituais.

As seguintes obras podem ser utilizadas nesse momento tão especial:

- *O evangelho segundo o espiritismo*, como obra básica;
- *Caminho, verdade e vida*; *Pão nosso*; *Vinha de luz*; *Fonte viva*; *Agenda cristã*.

Esse momento no lar não se trata de reunião mediúnica e, portanto, qualquer ideia advinda pela via da intuição deve permanecer como comentário geral, a ser dito de maneira simples, no momento oportuno.

No estudo do Evangelho de Jesus no Lar, a fé e a perseverança são diretrizes ao aprimoramento moral de todos os envolvidos.

O QUE É ESPIRITISMO?

O ESPIRITISMO É UM CONJUNTO DE PRINCÍPIOS E LEIS reveladas por Espíritos Superiores ao educador francês Allan Kardec, que compilou o material em cinco obras que ficariam conhecidas posteriormente como a Codificação: *O livro dos espíritos*, *O livro dos médiuns*, *O evangelho segundo o espiritismo*, *O céu e o inferno* e *A gênese*.

Como uma nova ciência, o Espiritismo veio apresentar à Humanidade, com provas indiscutíveis, a existência e a natureza do Mundo Espiritual, além de suas relações com o mundo físico. A partir dessas evidências, o Mundo Espiritual deixa de ser algo sobrenatural e passa a ser considerado como inesgotável força da Natureza, fonte viva de inúmeros fenômenos até hoje incompreendidos e, por esse motivo, são tidos como fantasiosos e extraordinários.

Jesus Cristo ressaltou a relação entre homem e Espírito por várias vezes durante sua jornada na Terra, e talvez alguns de seus ensinamentos pareçam incompreensíveis ou sejam erroneamente interpretados por não se perceber essa associação. O Espiritismo surge então como uma chave, que esclarece e explica as palavras do Mestre.

A Doutrina Espírita revela novos e profundos conceitos sobre Deus, o Universo, a Humanidade, os Espíritos e as leis que regem a vida. Ela merece ser estudada, analisada e praticada todos os dias de nossa existência, pois o seu valioso conteúdo servirá de grande impulso à nossa evolução.

ESTUDANDO O EVANGELHO

EDIÇÃO	IMPRESSÃO	ANO	TIRAGEM	FORMATO
1	1	1961	5.076	13x18
2	1	1964	5.100	13x18
3	1	1975	10.200	13x18
4	1	1982	10.200	13x18
5	1	1987	20.000	13x18
6	1	1992	10.000	13x18
7	1	1996	10.000	13x18
8	1	2005	500	13x18
9	1	2006	1.000	13x18
10	1	2007	4.000	13x18
10	2	2008	4.000	13x18
11	1	2009	3.000	14x21
11	2	2010	2.000	14x21
11	3	2012	1.000	14x21
11	4	2013	2.000	14x21
11	5	2014	4.000	14x21
11	6	2018	1.000	14x21
11	POD*	2021	POD	14x21
11	8	2022	50	14x21
11	IPT**	2022	100	14x21
11	IPT	2023	200	14x21
11	IPT	2024	150	14x21
11	IPT	2024	200	14x21
11	IPT	2025	200	14x21

*Impressão por demanda
**Impressão pequenas tiragens

O EVANGELHO NO LAR

Quando o ensinamento do Mestre vibra entre quatro paredes de um templo doméstico, os pequeninos sacrifícios tecem a felicidade comum.[1]

Quando entendemos a importância do estudo do Evangelho de Jesus, como diretriz ao aprimoramento moral, compreendemos que o primeiro local para esse estudo e vivência de seus ensinos é o próprio lar.

É no reduto doméstico, assim como fazia Jesus, no lar que o acolhia, a casa de Pedro, que as primeiras lições do Evangelho devem ser lidas, sentidas e vivenciadas.

O espírito compreende que sua missão no mundo principia no reduto doméstico, em sua casa, por meio do estudo do Evangelho de Jesus no Lar.

Então, como fazer?

Converse com todos que residem com você sobre a importância desse estudo, para que, em família, possam compreender melhor os ensinamentos cristãos, a partir de um momento de união fraterna, que se desenvolverá de maneira harmônica e respeitosa. Explique que as reflexões conjuntas acerca do Evangelho permitirão manter o ambiente da casa espiritualmente saneado, por meio de sentimentos e pensamentos elevados, favorecendo a presença e a influência de Mensageiros do Bem; explique, também, que esse momento facilitará, em sua residência, a recepção do amparo espiritual, já que auxilia na manutenção de elevado padrão vibratório no ambiente e em cada um que ali vive.

Convide sua família, quem mora com você, para participar. Se mora sozinho, defina para você esse momento precioso de estudo e reflexões. Lembre-se de que, espiritualmente, sempre estamos acompanhados.

Escolha, na semana, um dia e horário em que todos possam estar presentes.

O tempo médio para a realização do Evangelho no Lar costuma ser de trinta minutos.

---

[1] XAVIER, Francisco Cândido. *Luz no lar*. Por Espíritos diversos. 12. ed. 7. imp. Brasília: FEB, 2018. Cap. 1.

As crianças são bem-vindas e, se houver visitantes em casa, eles também podem ser convidados a participar. Se não forem espíritas, apenas explique a eles a finalidade e importância daquele momento.

O seguinte roteiro pode ser utilizado como sugestão:

1. Preparação: leitura de mensagem breve, sem comentários;
2. Início: prece simples e espontânea;
3. Leitura: *O evangelho segundo o espiritismo* (um ou dois itens, por estudo, desde o prefácio);
4. Comentários: breves, com a participação dos presentes, evidenciando o ensino moral aplicado às situações do dia a dia;
5. Vibrações: pela fraternidade, paz e pelo equilíbrio entre os povos; pelos governantes; pela vivência do Evangelho de Jesus em todos os lares; pelo próprio lar...
6. Pedidos: por amigos, parentes, pessoas que estão necessitando de ajuda...
7. Encerramento: prece simples, sincera, agradecendo a Deus, a Jesus, aos amigos espirituais.

As seguintes obras podem ser utilizadas nesse momento tão especial:

- *O evangelho segundo o espiritismo*, como obra básica;
- *Caminho, verdade e vida*; *Pão nosso*; *Vinha de luz*; *Fonte viva*; *Agenda cristã*.

Esse momento no lar não se trata de reunião mediúnica e, portanto, qualquer ideia advinda pela via da intuição deve permanecer como comentário geral, a ser dito de maneira simples, no momento oportuno.

No estudo do Evangelho de Jesus no Lar, a fé e a perseverança são diretrizes ao aprimoramento moral de todos os envolvidos.

FEB editora
Livro espírita para um novo mundo
www.febeditora.com.br
@febeditoraoficial
@febeditora

Conselho Editorial:
*Carlos Roberto Campetti
Cirne Ferreira de Araújo
Evandro Noleto Bezerra
Geraldo Campetti Sobrinho – Coord. Editorial
Jorge Godinho Barreto Nery – Presidente
Maria de Lourdes Pereira de Oliveira
Miriam Lúcia Herrera Masotti Dusi*

Produção Editorial:
Elizabete de Jesus Moreira

Capa:
Fátima Agra

Projeto Gráfico:
Redb Style

Diagramação:
Caroline Vasquez

Normalização Técnica:
Biblioteca de Obras Raras e Documentos Patrimoniais do Livro

Esta edição foi impressa no sistema de Impressão pequenas tiragens, em formato fechado de 140x210 mm e com mancha de 100x170 mm. Os papéis utilizados foram o Off white 80 g/m² para o miolo e o Cartão 250 g/m² para a capa. O texto principal foi composto em fonte Minion Pro 12/17,5 e os títulos em Charlemagne Std 19/13,5. Impresso no Brasil. *Presita en Brazilo.*